1

CW00765617

Argraffiad cyntaf: 2007

Rhif Llyfr Safonol Rhyngwladol:
1-84527-124-6
978-1-84527-124-4

Mae'r cyhoeddwyr yn cydnabod cefnogaeth ariannol
Cyngor Llyfrau Cymru

Llun clawr: Tony Jones
Cynllun clawr: Sian Parri
Dyluniadau lliw clawr cefn a'r rhai du a gwyn tu mewn:
Al Jôs, Stiwdio 23, Galeri, Caernarfon.

Argraffwyd a chyhoeddwyd gan Wasg Carreg Gwalch,
12 Iard yr Orsaf, Llanrwst, Dyffryn Conwy, LL26 0EH.
☎ 01492 642031   ✆ 01492 641502
✆ llyfrau@carreg-gwalch.co.uk
Lle ar y we: www.carreg-gwalch.co.uk

# Smyglwyr Cymru

Twm Elias a
Dafydd Meirion

## Teyrnged i Dafydd Meirion

Pan ddeallodd y ddau ohonom fod gennym ddiddordeb yn hanes y smyglars ac yn bwriadu cyhoeddi rhywbeth amdanynt, peth naturiol oedd cydweithredu. A pheth hawdd iawn oedd hynny – buom yn bownsio defnyddiau rhyngthom fel ping-pong ar yr e-bost ac o wampio ac ail-wampio dipyn fe ddaeth y gyfrol hon i law.

Fe fwynhaeais yn fawr iawn gyd-weithio efo Dafydd. Roedd o'n un hwyliog, brwd a llawn syniadau i'r diwedd. Mae'n golled fawr ar ei ôl.

## Diolchiadau

Diolch i bawb, rydych yn rhy niferus i'ch henwi i gyd, am bytiau o wybodaeth am y smyglwyr. Mae llawer iawn o ddefnyddiau gwasgaredig a hanesion lleol eto i'w cywain. Codi cil y caead yn unig wna'r gyfrol hon!

*Twm Elias*
*Plas Tan y Bwlch*
*Ebrill 2007*

# Cynnwys

# Cyflwyniad

Rydym wedi clywed sawl stori, a nifer ohonynt yn mynd yn ôl ganrifoedd lawer, am ddynion yn dadlwytho diodydd a nwyddau anghyfreithlon eraill liw nos yn rhai o gilfachau mwyaf diarffordd Cymru. Ond pwy oedd y bobl hyn, a sut a pham yr oedden nhw'n barod i beryglu eu bywydau a'u rhyddid i osgoi talu treth ar nwyddau o'r fath?

A pha fath o nwyddau fyddai'n cael eu smyglo ar hyd arfordir Cymru? O ble fydden nhw'n dod a phwy oedd y cwsmeriaid? A oedd yna rwydd hynt i'r smyglwyr, ynteu a oedd yr awdurdodau ar ffurf swyddogion Gwasanaeth y Cyllid neu'r Bwrdd Tollau ar wahanol gyfnodau yn effeithiol wrth geisio eu hatal?

Gyda bron i dri chwarter ffiniau Cymru yn arfordir – oddeutu chwe chan milltir, does ryfedd fod straeon am smyglwyr yn gyffredin bron ym mhobman. Eto fyth, ychydig iawn o sylw a gafodd stori'r smyglwyr gan haneswyr Cymreig. Ai am eu bod yn rhy barchus i gyflwyno hanes drwgweithredwyr tybed? Beth bynnag yw'r rheswm, mae'n stori rhy dda a chyffrous i'w gadael heb ei dweud.

## Cefndir smyglo a smyglwyr

Beth yn union yw smyglwr? Yn ôl diffiniad Deddf Smyglo 1721 smyglwr yw rhywun sy'n ceisio osgoi talu toll ar nwyddau, yn atal swyddogion y Cyllid rhag cipio nwyddau di-doll neu'n cario arfau neu weithredu yn y dirgel i drosglwyddo nwyddau o'r fath. Ar y llaw arall, tua'r un cyfnod, dywed Charles Lamb: 'Ef [y smyglwr] yw'r unig leidr gonest.' Sail Lamb wrth ddweud hynny oedd mai wedi prynu'r nwyddau yn gyfreithlon yr oedd y smyglwr ac mai ei unig drosedd oedd osgoi'r dreth. A mater o farn wleidyddol oedd hi ar y pryd os oeddech yn credu fod y trethi hynny'n gyfiawn neu beidio!

Disgrifiodd Adam Smith, yr economegydd enwog o'r ddeunawfed ganrif, smyglwr fel rhywun a oedd

> *no doubt highly blameable for violating the laws of his country, is frequently incapable of violating those of natural justice, and who would have been . . . an excellent citizen had not the laws of his country made [smuggling] a crime which Nature never meant to be so.*

Daw'r gair 'smyglo' o'r Saesneg, ond yn wreiddiol daw o ieithoedd Llychlyn. O'r Ddaneg, *smug-handle* – nwyddau anghyfreithlon, Swedeg, *smuga* – lle i lechu, ac yn iaith Gwlad yr Iâ, *smugu* – twll i gropian drwyddo. Yn y Gymraeg ceir yr enw 'môr-leidr' am *pirate* a 'lleidr pen ffordd' am *highwayman*, ond ni fathwyd enw cynhenid Cymraeg am smuggler, ond yn hytrach Cymreigio'r enw Saesneg. Ac yn ôl *Geiriadur y Brifysgol* ni cheir cofnod o hynny yn gynharach nag 1752.

Mae'r arfer o godi trethi ar nwyddau yn mynd yn ôl ganrifoedd lawer – ac o'r herwydd fe geid rhai a oedd am geisio osgoi eu talu. Ymhell dros ddwy fil o flynyddoedd yn ôl, roedd Carthage, a oedd yn un o brif gymunedau masnachol yr hen fyd, yn codi trethi ar nwyddau ond yn cael trafferth i'w casglu am fod rhai yn ceisio osgoi eu talu. Roedd y Rhufeiniaid hefyd, yn ystod eu harhosiad ym Mhrydain, yn cael trafferthion tebyg a cheir cofnod fod y brenin Seisnig Ethelred, ar ddiwedd y ddegfed ganrif, yn codi hyd at geiniog, a oedd yn arian sylweddol ar y pryd, ar gychod a llongau a laniai'n Billingsgate. Drwy'r Oesoedd Canol hyd at ddyddiau Cromwell, brenin neu frenhines Lloegr fyddai'n cadw'r trethi, ond ar ôl hynny i bocedi dyfnion y llywodraeth y byddai'r arian yn mynd.

Ffynhonnell bwysig o nwyddau anghyfreithlon yn Oes y Tuduriaid oedd nwyddau a gipiwyd ac a ddadlwythwyd yn y dirgel gan fôr-ladron. Byddai dadlwytho nwyddau o'r fath yng Nghymru (y 'gorllewin gwyllt') yn weddol hawdd gyda Dinbych-y-pysgod ac Aberdaugleddau ymysg y mannau pwysicaf i fôr-ladron y cyfnod. Yng Nghaerdydd roedd goruchwyliwr y tollau ym mhoced y môr-leidr enwog Capten John Callis ac yng Ngheredigion roedd Syr John Perrot yn rhan o'r un fasnach ysbeilgar a'r masnachwr/fôr-leidr Nicholas Hookes yn Aberconwy. Y gwahaniaeth rhwng y smyglwr a'r môr-leidr oedd bod y smyglwr wedi prynu'r nwyddau, ond wedi eu dwyn yr oedd y môr-leidr. Ceisiai'r ddau ddadlwytho'r nwyddau yn ddi-doll.

Yn y cyfnod ansefydlog wedi i'r Tuduriaid dorri cysylltiad ag Eglwys Rufain, smyglwyd pobl, sef offeiriaid

Pabyddol, o'r Iseldiroedd i Brydain ar ddechrau'r ail ganrif ar bymtheg. Cafodd dau o'r rhain, sef John Roberts o Drawsfynydd a John Jones o Glynnog, eu dienyddio yn Tyburn, Llundain yn 1610. Dyrchafwyd y ddau yn seintiau gan yr Eglwys Babyddol yn yr ugeinfed ganrif. Dywedir hefyd fod Beiblau Cymraeg a argraffwyd yn Nulyn yn cael eu smyglo i Gymru yn y cyfnod hwn.

Ond fe smyglid nwyddau allan o Brydain hefyd. Er enghraifft, gwaharddwyd allforio gwlân o Brydain yn ystod teyrnasiad Edward y Cyntaf er mwyn ceisio sefydlu diwydiant gwehyddu yma. Yn ddiweddarach, yn 1276, caniatawyd ei allforio ond roedd yn rhaid talu treth o dair ceiniog y pwys, sef chweched ran o werth y gwlân. Oherwydd hyn, dechreuwyd allforio gwlân yn anghyfreithlon o ddwyrain Lloegr gan gangiau a enwyd yr *owlers* – gan eu bod allan yn y tywyllwch fel tylluanod, mae'n debyg. Yn ei ymgais i atal y smyglo gwlân, cyfarwyddodd Edward ei lynges i warchod y glannau o ddwyrain Lloegr hyd at dde Cymru. Pan ostyngwyd y dreth ar wlân, lleihaodd y broblem hyd nes ei hailgyflwyno rhwng 1660 a 1739.

Ceir sôn hefyd am smyglo gwartheg Cymreig i Ffrainc. Dywed yr Athro Caroline Skeele, a fu'n cofnodi hanesion porthmyn yn y 1920au, iddi gofnodi hanesyn am lanc a gynorthwyai i bedoli gwartheg yn Ffair Abergwili a oedd ar un adeg wedi cynorthwyo porthmon i fynd â gwartheg i Gaint yn 1809 ac 1810 ar gyfer eu smyglo i Ffrainc. Digwyddai hyn yng nghyfnod rhyfel Napoleon, ac nid gwartheg yn unig a drosglwyddid. Ceir sôn bod arfau a nwyddau eraill yn cael eu smyglo i'r Cyfandir yn ogystal.

Nid awydd i warchod diwydiannau gartref yn unig a arweiniodd at godi trethi uchel ar rai nwyddau ar ddiwedd yr ail ganrif ar bymtheg. Dyma pryd yr aeth Prydain, yn arbennig yn nechrau'r ddeunawfed ganrif, i ryfela yn erbyn gwledydd eraill er mwyn ymestyn ei grym ymerodrol ar draws y byd. Yn naturiol, roedd angen llawer o longau, arfau a milwyr ar gyfer hyn ac roedd yn rhaid codi trethi ar fewnforion yn ogystal â nwyddau eraill i dalu amdanynt.

Ond gan mai'r tirfeddianwyr a'r bonedd oedd yn rheoli yn y Senedd, doedden nhw, yn naturiol, ddim am drethu eu hunain yn unig. Felly cyflwynwyd neu fe gynyddwyd trethi nid yn unig ar fewnforion moethus megis gwirodydd, te, baco, sbeisys ac yn y blaen ond hefyd ar nwyddau llawer mwy cyffredin a gynhyrchid gartref megis halen, canhwyllau, glo a sebon. Achosai hyn anhawster mawr i bobl gyffredin oherwydd roedd rhai o'r nwyddau hyn, megis halen, yn anghenion na ellid gwneud hebddynt. Cyn dyddiau'r rhewgell onid drwy halltu cig, menyn a physgod yr oedd eu cadw dros y gaeaf?

O ganlyniad, gan fod y trethi newydd hyn mor drwm a'r deddfau wedi eu pasio yn annemocrataidd gan feistri tir yn y Senedd, ystyriai'r werin – a llawer o'r bonedd hefyd – fod y trethi'n anghyfiawn ac felly bod ganddynt hawl foesol i fynd yn groes iddynt. Nid oes ryfedd felly i'r smyglwyr, a oedd yn herio'r drefn yn ogystal â chyflenwi nwyddau rhad, ddod yn dipyn o arwyr ar y pryd gan dderbyn cryn gefnogaeth gan bob dosbarth cymdeithasol i gadw'n rhydd o afael yr awdurdodau. Dyma ddechrau'r cyfnod y gellid ei alw'n 'oes aur' smyglo ac a barhaodd am y ganrif a hanner nesaf.

Yn sicr roedd yn haws i'r llywodraeth *benodi* trethi na'u casglu. Mewn gwirionedd roedd llawer o'r trethi hyn yn gostus a thrafferthus i'w casglu, a chan fod cymaint o longau a dynion i ffwrdd yn ymladd dramor, doedd dim digon o ddynion ar gael i atal y smyglwyr rhag dod â nwyddau di-dreth i'r wlad.

Er mwyn casglu'r trethi ar nwyddau oedd yn cael eu mewnforio, sefydlodd Gwasanaeth Cyllid y llywodraeth dolldai *(customs houses)* yn y porthladdoedd a byddai'n rhaid i gapteiniaid alw yno cyn dechrau dadlwytho eu llongau er mwyn i'r dreth briodol gael ei phenodi ar y cargo.

Ond nid oedd hyn yn atal dadlwytho nwyddau yn y dirgel mewn mannau eraill ar yr arfordir cyn cyrraedd y porthladd. Er enghraifft, dywedir bod masnachwyr Bryste yn yr unfed ganrif ar bymtheg yn dadlwytho llawer o'u nwyddau yng Nghas-gwent a phorthladdoedd bychain eraill de Cymru. Nid fod hynny'n newydd chwaith oherwydd mor gynnar ag 1387 cafodd Maer Bryste gyfarwyddyd i ymchwilio i smyglo ym Môr Hafren, a Bryste oedd y ddinas gyntaf i gael ei llong Cyllid ei hun i geisio atal smyglo.

Rhwng 1760 ac 1813 ceid trethi ar o leiaf 1300 o wahanol nwyddau, a mwy ar adegau; er enghraifft, erbyn 1787 roedd 1,425 o nwyddau trethadwy. Roedd y gyfundrefn i weinyddu hyn yn gymhleth a'r deddfau trethi yn llenwi chwe chyfrol dew o'r Llyfrau Statud. Er hynny deuai â £6 miliwn o ddollau i goffrau'r llywodraeth bob blwyddyn. Ond roedd o leiaf £2 i £3 miliwn arall yn mynd 'ar goll' oherwydd smyglo – sy'n golygu na ddylai neb ystyried ffigyrau incwm swyddogol y llywodraeth yn y cyfnod hwnnw fel gwir amcan o fasnach y wlad!

Ymysg y nwyddau moethus y codwyd treth arnynt roedd gwirodydd, gwin, te, tybaco, sbeisys, sebon, les, sidan, defnyddiau llïn, hetiau, hancesi, persawr ac almanaciau. Argraffwyd rhai almanaciau Cymraeg yn Nulyn a'u smyglo i Gymru cyn i'r doll arnynt gael ei diddymu yn 1834. Roedd treth ar gardiau chwarae hyd yn oed, ac ni chafodd y dreth honno ei diddymu tan 1960. Byddai llawer o'r trethi yn taro'r tlawd yn fwy na'r cyfoethog, yn arbennig y trethi ar bethau cyffredin megis te, halen a dillad – yn ogystal ag ar ddiod feddwol. Roedd te wedi dod yn boblogaidd iawn yn ystod y ddeunawfed ganrif ac erbyn 1768 roedd tua 90% o'r boblogaeth yn ei yfed ddwywaith y dydd – a dim ond ar ychydig dros chwarter ohono yr oedd treth wedi ei thalu.

Ar wahanol adegau roedd bron pawb yng ngwledydd Prydain yn cael budd o smyglo. Nododd Samuel Pepys – a oedd yn neb llai nag Ysgrifennydd y Llynges ar y pryd – yn ei ddyddiadur ym mis Medi 1665 ei fod wedi prynu 37 pwys o glôfs a deg pwys o nytmeg mewn tafarn, ac yntau'n gwybod yn iawn eu bod wedi'u smyglo.

Roedd y llywodraeth yn colli incwm sylweddol oherwydd smyglo. Er enghraifft, codwyd treth ar 650,000 pwys o de yn 1743 (yn ôl treth o bedwar swllt y pwys) ond amcangyfrifir fod 1,500,000 pwys o de yn cael ei ddefnyddio'n flynyddol yn y cyfnod hwnnw. Yn 1760 gellid prynu pwys o de, er enghraifft, yn yr Iseldiroedd am ddau swllt, sy'n cyfateb i ddeg ceiniog heddiw, ond roedd te yn costio pum gwaith gymaint â hynny ym Mhrydain. Gellid prynu baco am yr un pris ond roedd hwnnw hefyd yn costio pum gwaith yn fwy ym Mhrydain. Roedd y dreth hyd yn oed yn fwy fyth ar frandi. Gellid prynu 'twb' pedwar galwyn o'r gwirod hwn yn Ffrainc am 15 swllt (80c), tra ym Mhrydain byddai'n rhaid talu oddeutu £50 (yn gyfreithlon) amdano.

Dyma'r mathau o drethi a fyddai'n cael eu codi: 15 swllt (75c) ar bwysel (2,219cc) o halen, tair ceiniog (1½ c) ar bwys o ganhwyllau, saith geiniog (3c) y llathen sgwâr ar galico a mwslin, 3½d (2c) ar gotwm a lliain, 1/1½ (6ch) ar sidan, 11/5 (57c) ar alwyn o win Ffrengig, 22/6 (£1.12) y galwyn ar frandi a 3/2 (16c) y pwys ar dybaco, ac roedd 96% o bris te yn dreth.

Nid oes ryfedd, felly, fod y tollau'n amhoblogaidd, a châi rhai'r argraff fod treth ar bob dim. Dyma fel y canodd Richard Lloyd o Blas Menai, Sir Gaernarfon:

Fe rannwyd treth yleni, erioed ordeiniodd Duw,
Treth am gladdu'r meirw, a threth am eni'r byw,
A threth ar ddŵr yr afon, a threth am olau'r dydd,
A threth am fynd i'r Cwlwm, a threth am fod yn rhydd.

Dywedodd Sydney Smith rywbeth tebyg – fod yna dreth ar:

sôs i wella archwaeth dyn ac ar gyffur i wella ei iechyd; ar yr ermyn sy'n addurno barnwr a'r rhaff sy'n crogi'r troseddwr; ar halen y dyn tlawd ac ar sbeis y dyn cyfoethog; ar yr hoelion pres ar arch ac ar rubanau'r briodferch.

Dyma'r cyfansymiau o nwyddau a gipiwyd gan ddynion y tollau yn 1822-24:

| | |
|---|---|
| Tybaco | 902,684 pwys |
| Snisin | 3,000 pwys |
| Brandi | 135,000 galwyn |
| Rym | 253,000 galwyn |
| Jin | 227,000 galwyn |

Ond gan mai cyfran fechan oedd yn cael ei gipio gan yr awdurdodau, gellir dychmygu fod cyfanswm yr hyn a oedd yn cael ei smyglo'n llwyddiannus yn anhygoel! Er enghraifft, roedd y gwasanaeth tollau yn amcangyfrif fod pum mil o gasgenni o frandi wedi cael eu dadlwytho ar Benrhyn Gŵyr yn ystod chwe mis yn 1795.

Gwneud arian, yn naturiol, oedd cymhelliad mwya'r smyglwyr ond hefyd roedd yna elfen o wrthdaro cenedlaethol yng Nghymru, yr Alban ac Iwerddon, lle ystyrid mai 'Treth Seisnig' ydoedd. Nododd Lewis Morris, a oedd yn gasglwr tollau ym Môn yn y ddeunawfed ganrif, fod y bobl yn gwneud eu gorau *'to beat the English tax'*.

Ond wedi 1815, a threchu Napoleon, daeth heddwch ac nid oedd yn rhaid talu cymaint o drethi ar nwyddau bellach i gynnal y llynges a'r fyddin. Cynyddu hefyd wnaeth y galw am fasnach rydd, hynny yw, diddymu tollau i helpu masnachu rhyngwladol. Yn wir, fel rhan o'r ymgyrch honno, diddymodd Syr Robert Peel dollau ar 1,200 o eitemau rhwng 1842 ac 1845, 450 ohonynt yn 1845 yn unig, a gostyngwyd y raddfa dreth ar nifer o rai eraill. Effaith hynny oedd tanseilio'r fasnach anghyfredin drwy leihau'r elw y gellid ei wneud ohoni yn sylweddol.

Meddai Comisiynwyr y Trethi:

> Gyda gostyngiad mewn trethi, a chael gwared â phob cyfyngiad diangen, mae yna lawer llai o smyglo a chafwyd newid sylweddol yn sentiment y cyhoedd ynglŷn â hyn. Dyw'r smyglwr ddim bellach yn cael cydymdeimlad cyffredinol, fel arwr rhamantus; ac mae pobl yn dechrau deffro i'r camsyniad fod ei drosedd nid yn unig yn twyllo'r wlad, ond hefyd yn dwyn oddi ar y masnachwr cyfreithlon. Mae smyglo erbyn hyn yn gyfyngedig bron i dybaco, gwirod a watsys.

Ond i wneud iawn am golli'r elw a geid o'r dreth ar nwyddau o dramor, cyflwynodd Syr Robert Peel, yn 1842, dreth incwm o saith geiniog yn y bunt!

Oherwydd diwedd ar y rhyfela yn Ewrop roedd llai o angen y llynges i warchod y wlad. Roedd gwell trefn ar y Llynges Brydeinig yn gyffredinol erbyn hynny ac oherwydd bod llai o drafferthion militaraidd i'r Ymerodraeth drwy'r byd, gellid symud morwyr o'r llynges i wasanaeth newydd gwylwyr y glannau a sefydlwyd yn 1829. Felly roedd gan y Gwasanaeth Cyllid ragor o longau a rhagor o ddynion i wylio'r arfordir. Codwyd tai bychain i'r gwylwyr ar hyd yr arfordir er mwyn iddynt gadw golwg ar y glannau a sefydlwyd minteioedd ar gefn ceffylau yn lle gorfod dibynnu ar filwyr, nad oeddent erioed yn rhyw ymroddedig iawn i'r gwaith. Felly, oherwydd y mesurau hyn, daeth smyglo yn llai proffidiol a lleihaodd yn raddol nes iddo ddiflannu mwy neu lai erbyn 1860.

Yn 1860 diddymodd y Cytundeb Masnach â Ffrainc y rhan fwyaf o'r tollau a oedd yn weddill gan adael dim ond ychydig ar dybaco a gwirodydd. Yn 1864 roedd Comisiynwyr y Tollau yn gallu adrodd, am y tro cyntaf erioed, na chawsant eu hysbysu o unrhyw *run* smyglo yn ystod y flwyddyn a fu. Roedd ymwneud â nwyddau di-doll, bellach, yn gyfyngedig i ambell unigolyn yn cuddio tybaco neu botel o wirodydd yn ei fagiau wrth ddod i mewn i'r wlad. Roedd y rheswm dros smyglo wedi peidio a bod bellach a'r smyglwyr traddodiadol wedi eu trechu o'r diwedd.

Ond a'i dyma ddiwedd y stori? Na yn sicr, oherwydd byddai smyglo'n dueddol o ail-godi'i ben o bryd i'w gilydd gan ddilyn ffasiwn y dydd am nwyddau a threthi. Er enghraifft, ar adegau o brinder megis y cyfnodau rhwng ac ar ôl y ddau ryfel byd, neu pan fyddai'r llywodraeth yn gosod tollau ar nwyddau arbennig i amddiffyn diwydiannau cartref rhag cael eu tanseilio gan fewnforion rhad. Oni ddaeth yn gyffredin dod â photel neu baced o sigaréts yn fwy nag a ddylsid drwy'r tollau wrth ddod i mewn i'r wlad ar ôl gwyliau dramor yn enwedig cyn i Brydain ymuno â'r Gymuned Ewropeaidd? A beth am y cyrch ar y traeth ger Trefdraeth yn 1983 a arweiniodd at ddedfrydu nifer o bobl am gynllwynio i smyglo canabis i'r wlad – tair tunnell, gwerth tua £6 miliwn medd rhai? A phwy sydd heb glywed am y Cymro Howard Marks o Fynydd Cenffig a oedd yn un o'r smyglwyr cyffuriau amlycaf drwy'r byd yn y 1970au a'r 1980au?

Na yn wir, mae smyglo, erbyn hyn, yn ei ail 'oes aur'

a gallwn weld patrymau newydd ac enbyd yn datblygu yn y frwydr oesol rhwng y smyglwr a'r Gwasanaeth Cyllid, yn enwedig dros yr hanner canrif diwethaf. Watsus, transistors, camerâu ac yn y blaen gawsai eu smyglo yn y 1950au a'r 1960au, ond pobl, cyffuriau, sigaréts, caniau cwrw, tanwydd disl, nwyddau *designer* ffug ac arfau yw prif sail y fasnach anghyfreithlon erbyn heddiw. Mae graddfa smyglo cyffuriau caled yn anferth, er enghraifft ym Mai 2005 daliodd gwasanaeth gwylwyr y glannau Sbaen long o Colombia yn cludo pum tunnell o gocên, gwerth £225 miliwn, i Ewrop. Roedd y rhan fwyaf o'r cyffur ar ei ffordd i Brydain.

# Y Smyglwyr

Disgrifiad Dr Johnson yn y ddeunawfed ganrif o smyglwr oedd *'A wretch, who, in defiance of the laws, imports or exports goods without payment of the customs'*. Er hynny, ceid cefnogaeth eang i'r smyglwyr, neu'r 'masnachwyr rhydd' fel y'u gelwid, ym mhob haen o'r gymdeithas.

Yn sicr roedd pobl ddrwg a chreulon yn eu mysg, ond onid oedd y llywodraeth, drwy drethu'n llawer rhy uchel, yn mynd i ddenu dihirod o'r fath? A'r rheiny wedyn yn gallu dibynnu ar gefnogaeth y werin a'r bonedd cefnog i ymgymryd â'r fasnach anghyfreithlon.

Pysgotwyr a morwyr a fyddai'n hwylio llongau masnach bychain o gwmpas y glannau oedd y rhan fwyaf o'r smyglwyr. Roeddent yn adnabod pob cilfach a bae yn eu rhan nhw o'r arfordir, yn forwyr profiadol – ac roedd ganddynt hefyd esgus dilys i fynd allan i'r môr.

Gallai graddfa busnes y smyglwyr amrywio o unigolion a oedd eisiau osgoi talu treth ar rai nwyddau i geisio gwneud rhyw geiniog neu ddwy, i gwmnïau rhyngwladol enfawr a oedd â chynrychiolwyr mewn sawl porthladd. Roedd rhai o'r cwmnïau hyn yn anferth, ac yn berchnogion ar stordai mawr ble cedwid nwyddau a fewnforid o bedwar ban byd cyn eu smyglo i wledydd eraill. Yn aml iawn, hefyd, roedd ganddynt ddylanwad yn uchelfannau llywodraethau a byd masnach y gwledydd i ble byddai'r nwyddau'n cael eu smyglo.

Roedd trefn soffistigedig iawn, yn ogystal, i dderbyn y nwyddau a'u dosbarthu. Yn wir, teg fyddai cymharu eu dulliau a graddfa eu gweithgareddau â'r hyn a oedd gan gangsters y Maffia yn America yn ystod 'Prohibition' y 1920au pan waharddwyd gwerthu alcohol yn y wlad honno. Roedd gan y Maffia fragdai enfawr yng Nghanada a Mecsico i gynhyrchu cwrw a gwirodydd a channoedd o lorïau i smyglo'r poteli a'r casgenni dros y ffin i glybiau yfed, neu *speakeasys* cudd ledled yr Unol Daleithiau, lle gellid gamblo ag ati yn ogystal. Enillai Al Capone $60 miliwn y flwyddyn drwy werthu alcohol anghyfreithlon yn niwedd y 1920au.

Cymaint oedd y smyglo i Brydain yn ystod oes aur y mewnforio anghyfreithlon, sef rhwng y 1690au a'r 1850au, fel bod y llywodraeth yn colli incwm enfawr. Er enghraifft, dywedir bod Llywodraeth Prydain yn 1729 yn colli o leiaf chwarter yr incwm y gallai fod yn ei ennill o dollau ar fewnforion.

## Y cwmnïau smyglo

Ceid cwmnïau smyglo enfawr yn gweithio o Lydaw, Ffrainc ac Ynysoedd y Sianel yn bennaf, gydag Ynys Manaw tan 1765 ac Iwerddon tan 1800 yn rhyw dai hanner ffordd i ddod â'r nwyddau'n nes. Rhai o'r cwmnïau smyglo mwyaf oedd *Andrew Galway & Co.* (a oedd â chanolfannau yn Nantes, Dulyn a Lerpwl), *Wors & White Co.*, *Duer Park & Co.* a *Copinger & Co.* Roeddent yn prynu nwyddau ar raddfa fawr gan gwmnïau masnachol rhyngwladol megis yr *East India Company*, a hynny'n hollol gyfreithlon. Y broses o'u cludo a'u dadlwytho yng ngwledydd Prydain oedd yn anghyfreithlon, gan eu bod yn fwriadol yn osgoi talu treth arnynt i'r Llywodraeth.

Roedd gan y cwmnïau mawrion hyn rwydweithiau trefnus o smyglwyr dros Brydain gyfan yn gweithio iddynt. Byddai llongau yn cario'r nwyddau anghyfreithlon i lannau Cymru, ac yno'n disgwyl amdanynt roedd cyfundrefn effeithiol o lanwyr a dosbarthwyr i dderbyn y nwyddau a'u trosglwyddo i ben eu taith. Rhoddai buddsoddwyr arian i'r smyglwyr i brynu'r nwyddau dramor, weithiau cymaint â phedwar i bum can punt i fynd i Ffrainc i brynu brandi a nwyddau tebyg, a oedd yn swm anferth o arian y dyddiau hynny.

Yn naturiol, ar adegau o ryfel rhwng Prydain a Ffrainc roedd gwaharddiad ar fewnforio nwyddau oddi yno, ond byddai'r smyglwyr yn dal i gael marchnad dda am frandi a gwinoedd Ffrengig a byddai Llywodraeth Ffrainc yn awyddus iawn i helpu'r smyglwyr er mwyn tanseilio economi Prydain a manteisio ar y propaganda a oedd yn rhan o'r rhyfel seicolegol rhwng y ddwy wlad. Byddai'r smyglwyr yn gallu rhoi cymorth o fath arall hefyd i Ffrainc, a hynny drwy smyglo ei hysbïwyr i Brydain ar yr un pryd â'r nwyddau anghyfreithlon.

Roedd gan bawb a oedd yn ymwneud â'r smyglo ei swyddogaeth benodol ac fe'u gelwid yn ôl y gwaith yr oeddent yn ei wneud.

# Y rhedwyr

Dyma'r rhai a oedd yn cludo'r nwyddau anghyfreithlon ar longau i arfordir Cymru. Roedd llawer ohonynt yn Wyddelod ac yn smyglo halen yn ogystal â nwyddau o Ffrainc i Gymru. Yn eu mysg roedd y brodyr John a Michael Connor a weithredai yn y 1770au gyda'u llongau y *Bridget* a'r *Mary Catherine* a ddeuai drosodd i Gymru a gogledd-orllewin Lloegr o Port Rush a Dulyn, a gŵr o'r enw Connah a oedd yn gweithio o Ynys Manaw ac yn cyflenwi gogledd Môn, y Gogarth, Morfa Rhuddlan a Glannau Dyfrdwy. Roedd llawer o Fanawiaid yn rhedwyr yn ogystal, ac yn chwarae rhan bwysig iawn yng nghyflenwi arfordiroedd gogledd Cymru a Bae Ceredigion.

Yn naturiol, roedd Cymry hefyd yn eu mysg – rhai megis John Garret a'r *Jean* o Lannau Dyfrdwy, John Messery a'r *Le Tris* o Abertawe, ac yn y Bermo ceid Maurice Griffiths a'i long *Liberty*, John Jones a'r *Catherine*, Rhys Edwards a'r *Unity* a'r enwocaf ohonynt, Thomas Jones a'r *Dispatch*. Yn Llŷn roedd gan deulu Cefnamwlch long arfog fechan a ddadlwythai nwyddau ar Ynysoedd Tudwal ac Ynys Enlli, ac yn ardal Abergele roedd Ellis Jones yn dadlwytho nwyddau anghyfreithlon mewn cilfachau a sianelau ar Forfa Rhuddlan. Yn y de, dau o'r prif redwyr oedd Thomas Knight a oedd yn berchen ar nifer o longau arfog ac yn gweithredu o'i ganolfan ar Ynys y Barri ac yn ddiweddarach William Arthur, a fu am gyfnod yn bennaeth ar fintai fawr o smyglwyr ym Mhenarth a'r Barri.

# Llongau'r smyglwyr

Ym mlynyddoedd cynnar y ddeunawfed ganrif llongau bychain, nifer ohonynt yn agored, heb ddec, oedd dewis y rhedwyr o Iwerddon ac Ynys Manaw. Roedd y rhain yn ysgafnach a llawer haws i'w trin na'r llongau masnach arferol wrth ddod â nwyddau i'r glannau creigiog neu i aberoedd twyllodrus. Er enghraifft, dim ond 16 tunnell oedd y *Mary Catherine*, dan gapteniaeth y Gwyddel John Connor neu 'Jack the Batchelor', un o'r smyglwyr enwocaf a pheryclaf a gyflenwai glannau Cymru yn y cyfnod hwn.

Yn ogystal, daeth y smyglwyr i ffafrio llongau gyda rigin blaen ac ôl am ei fod yn gwneud y llong yn llawer haws i'w llywio mewn mannau cyfyng. Byddai'r criw yn fwy hefyd i weithio'r llongau bach bywiog hyn ac i ddadlwytho'r cargo'n gyflym. Cyn hyn llongau gyda rigin sgwâr oedd fwyaf cyffredin ond fedrai llongau o'r fath ddim ond dod i gilfachau pan oedd y gwynt yn ffafriol a byddai'n rhaid aros yno nes y byddai'r gwynt yn troi i'r cyfeiriad arall cyn gallu dianc yn ôl i'r môr. Ond wedi gosod hwyliau llai ym mhen blaen ac ôl eu llongau, gallai'r smyglwyr hwylio i unrhyw gilfach, dadlwytho ac yna troi'n ôl i'r môr cyn i neb eu dal. Roedd llawer o ganfas, hefyd, gan y smyglwyr er mwyn iddynt fedru hwylio'n gyflym pe bai angen.

Roedd y smyglwyr yn ffafrio llongau eithaf bas o gorff, fel y gallent fynd yn nes i'r lan na'r *cutter*, a oedd yn ddyfnach ei chorff. Y *cutter* oedd dewis swyddogion y Cyllid gan amlaf oherwydd gallai gario mwy o arfau, a hefyd, am ei bod o wneuthuriad cryfach, gallai *cutter* y

Cyllid daro'n erbyn llongau'r smyglwyr heb wneud difrod iddi ei hun pan fyddai'n ceisio eu dal a'u byrddio ar y môr.

Byddai llongau'r smyglwyr, hefyd yn rhad i'w hadeiladu fel na fyddai'r golled yn ormodol petaent yn cael eu dal. Rhyw 80 casgen wirod fyddai'r cargo arferol.

Pan ddaeth smyglo'n broblem yn nechrau'r ddeunawfed ganrif, gwaharddodd Llywodraeth Lloegr longau llai na 15 tunnell – boed yn gweithredu'n gyfreithlon ai peidio – gan eu bod yn cael eu defnyddio cymaint gan smyglwyr. Ond ni wnaeth hynny unrhyw wahaniaeth, felly codwyd y cyfyngiad i 30 tunnell, ac erbyn 1721 roedd llongau hyd at 40 tunnell wedi cael eu gwahardd.

Ar y dechrau roedd llongau'r Cyllid yn gyflymach a chafodd sawl smyglwr ei ddal wrth geisio dianc, ond roedd gan rai llongau – yn arbennig y *wherry* Wyddelig (math o long fechan agored neu gwch â hwyliau arni) rwyfau fel y gallent rwyfo o afael y Cyllid pan na fyddai gwynt. Gallai'r smyglwyr hyn hefyd rwyfo i'r gwynt – rhywbeth na allai llong y Cyllid ei wneud gyda'i hwyliau'n unig.

Roedd rhai o'r *wherries* wedi eu hadeiladu'n arbennig ar gyfer smyglo – yn 'fain ac yn fuan', gyda'u blaenau'n feinach na'r arferol i fedru symud yn haws drwy'r dŵr. ('*Slight and sharp*' a '*remarkable fast sailers*' oedd disgrifiad Capten William Gambold, meistr y llong Cyllid *Pelham* o Fiwmares, ohonynt.) Yn 1779 pasiwyd deddf yn gwahardd unrhyw un rhag defnyddio cwch neu long ac arni ragor na phedair rhwyf.

Ond nid llongau a adeiladwyd yn arbennig ar gyfer

smyglo yn unig a ddefnyddid. Mae cofnod fod y llongau fferi o Gaergybi i Iwerddon yn cael eu defnyddio hefyd. Er enghraifft, ym mis Gorffennaf 1771, cafodd y fferi *Jenny* ei dal ac arni rym a brandi. Byddai llongau a oedd yn cario caws a gynnau o Gaer yn smyglo brandi i Lundain – brandi a oedd wedi cyrraedd Caer yn anghyfreithlon o Ynys Manaw yn y lle cyntaf. A byddai llongau a gariai lo o Fostyn, fel y *Speedwell*, yn aml yn cario nwyddau anghyfreithlon. Ym mis Mehefin 1757 daliwyd y *Success* o Gaernarfon, a oedd yn cario glo o Whitehaven, ac ar ei bwrdd canfyddwyd 56 pwys o de a 14 galwyn o frandi. Gwahoddodd capten y *Success*, Thomas Wilson, gapten *cutter* y Cyllid i'r caban am wydraid a chynigiodd ddyrnaid o aur iddo pe byddai'n cau ei lygaid i'r smyglo, ond aflwyddiannus fu ei gais.

Hyd at 1765, llongau bychain oedd dewis y smyglwyr am eu bod yn gyfleus i ddod â nwyddau reit i'r glannau ond pan gollwyd Ynys Manaw fel canolfan smyglo yn y flwyddyn honno, roedd yn rhaid defnyddio llongau mwy a fyddai'n dod â'r nwyddau yr holl ffordd o Lydaw neu Ffrainc. Roedd y rhain yn llongau mawr, wedi eu harfogi'n llawer gwell ac yn fwy parod i ymladd yn erbyn *cutters* y Cyllid. Ceir disgrifiadau o longau arfog mawr (hyd at 200 tunnell) yn dadlwytho te a gwirodydd, rhwng 1772 ac 1780, ar hyd arfordir gogledd Cymru heb ofni neb. Dyma beth ddywedwyd am un ohonynt yn adroddiad swyddogion y Cyllid: *'It cruised arrogantly along the Merionethshire, Caernarfonshire and Anglesey coasts for 3 weeks and no Officer dare go near.'*

Pan dorrodd rhyfel annibyniaeth America yn 1776 a rhyfel Napoleon yn 1793-1815 cafodd llongau masnach yr hawl i arfogi eu hunain yn erbyn *privateers* (llongau rhyfel preifat neu herwlongau) y gelyn. Yn naturiol, manteisiodd llawer o smyglwyr ar hyn er mwyn cario mwy o arfau – y *Fox*, er enghraifft, a oedd yn 100 tunnell, ac arni griw o 45. Yn 1773, câi ei defnyddio i smyglo ym Môr Hafren, Bae Ceredigion ac oddi ar arfordir Môn. Gwelodd yr *Hector, cutter* y Cyllid, hi ger Ynys Enlli a hwyliodd i Aberdaugleddau i gael cymorth dwy *cutter* arall, y *Lord Neath* a'r *Cardigan*. Erlidiwyd y *Fox* gan y tair ym Mae Ceredigion ond roedd y *Fox* yn rhy gyflym iddynt a dihangodd. Amcanwyd bod y *Fox* yn gyfrifol am ddadlwytho gwerth £20,000 o nwyddau anghyfreithlon ar arfordir Cymru bob blwyddyn.

Pan fyddai'r llongau'n cael eu cipio gan y Cyllid, byddai eu perchnogion yn gwneud cais i'w rhyddhau gan honni mai aelod o'r criw oedd wedi dod â'r nwyddau gwaharddedig ar ei bwrdd heb ganiatâd. Fel arfer, roeddent yn llwyddiannus. Ym mis Tachwedd 1768 bu'n rhaid i'r *Racecourse*, tra oedd ar daith o Gaernarfon i Aberdysyni, fynd i harbwr Pwllheli i ymochel rhag y gwynt a chafodd y swyddogion tollau hyd i dybaco a snisin heb drwydded ar ei bwrdd. Meddiannwyd y llong ond wedi deisyfiad gan Richard Evans, masnachwr tybaco o Gaernarfon, cafodd ei rhyddhau. Ei ddadl oedd ei fod wedi prynu'r tybaco yn Lerpwl ym misoedd Gorffennaf ac Awst a bod trwydded arnynt, ond bod y capten wedi ei anghofio a hwylio heb y drwydded. Derbyniwyd gair Evans a chafodd y llong ei rhyddhau.

Os na chawsai'r llong ei rhyddhau, yna byddai'r swyddogion tollau yn gwerthu'r llong a gâi ei chipio mewn arwerthiant – ond rhywrai yn gweithredu ar ran y smyglwyr neu'r perchnogion gwreiddiol a fyddai'n ei phrynu bob tro. Dywedodd swyddog tollau Biwmares fod un llong wedi ei dal deirgwaith a'i hail-brynu gan ei hen berchennog bob tro. I atal hynny, pan fyddai llong o eiddo'r smyglwyr yn cael ei dal, daeth yn arferiad gan y Cyllid iddi gael ei llifio'n dair rhan ac yna ei malu a'i gwerthu'n ddarnau mân.

Yr un modd, gydag unrhyw geffylau a fyddai'n cael eu dal yn cludo nwyddau anghyfreithlon, byddai'r ffermwyr yn dweud mai wedi cael eu cymryd heb ganiatad gan y smyglwyr yr oeddent ac felly'n eu cael yn ôl!

## Y glanwyr

Byddai'r glanwyr yn disgwyl ar y lan am longau'r smyglwyr. Nhw fyddai'n trefnu i dderbyn y nwyddau o'r llongau, eu cludo o'r traeth a'u cuddio cyn eu dosbarthu un ai i brif asiant a oedd yn fasnachwr lleol neu i nifer o werthwyr lleol. Byddent yn trefnu ceffylau, wagenni a dynion i symud y nwyddau. Fel arfer roedd angen tua hanner y dynion i ddadlwytho tra byddai'r gweddill – yn aml yn arfog – yn cadw gwyliadwraeth ac yn eu gwarchod rhag dynion y Cyllid.

Pysgotwyr ac eraill yn gweithio ar y lan fyddai'r glanwyr fel arfer, ac mewn rhai ardaloedd caent gymorth mwynwyr, ffermwyr efo'u troliau a cheffylau, ac unrhyw un arall a fyddai'n barod i estyn help llaw. Yn ogystal, byddai rhai pobl yn cynorthwyo drwy guddio nwyddau mewn mannau diogel neu basio gwybodaeth i'r smyglwyr am symudiadau'r dynion tollau neu weithredu fel ysbïwyr ar eu rhan. Yn naturiol, byddent yn cael eu gwobrwyo'n dda am eu cymorth.

Yr amser peryclaf i'r smyglwyr oedd pan ddadlwythid y nwyddau. Er mwyn arwain y llong i'r lan, byddai gan rai ar y tir lamp arbennig i roi arwydd ei bod yn ddiogel – lamp â phig main fel na fyddai ei golau ond i'w weld o'r llong allan ar y môr. Yn Neuadd Talacre yn Sir y Fflint, mae ogof gyda delw o darw yn y fynedfa. Y tu ôl i'r pen mae blwch tanio a'r gred yw y byddai'n cael ei danio i ddangos i smyglwyr allan yn y môr ei bod yn ddiogel glanio.

Pe byddai pethau'n mynd o'i le, roedd yn rhaid rhybuddio'r smyglwyr. Ger Pen-y-bont ar Ogwr byddai cloch yn cael ei chanu pe byddai smyglwr yn cael ei ddal, 'that the whole town may rise to rescue the prisoners'. Byddid, hefyd, yn tanio coelcerth fel rhybudd i beidio â dod i'r lan, ond unwaith y deallodd dynion y Cyllid beth oedd diben hyn fe ddaeth yn anghyfreithlon i danio coelcerth yn agos i'r glannau. Dull arall o rybuddio'r llongau oedd rhoi blanced wen ar do bwthyn fel arwydd i gadw draw.

Roedd hi'n waith caled cario'r nwyddau i fyny'r traethau caregog yn y tywyllwch. Y dull o gario'r casgenni pedair galwyn – neu hanner anker fel y'u gelwid – fyddai eu clymu'n barau, gydag un ar y frest ac un ar y cefn a'r rhaffau oedd rhyngddynt dros yr ysgwyddau. Byddai'r ddwy gasgen gyda'i gilydd yn pwyso dros gan pwys neu hanner can kilo. Does ryfedd felly y byddai'r glanwyr hyn yn ceisio osgoi ymladd â dynion y Cyllid, ac yn aml, pan fyddai peryg, yn gollwng y nwyddau er mwyn dianc.

Pe byddai angen trosglwyddo'r nwyddau gryn

bellter, fe ddefnyddid ceffylau, gyda phob ceffyl yn cario tair neu bedair casgen. Byddai'r smyglwyr yn gadael i ffermwr wybod bod angen ceffyl neu geffylau ar gyfer rhyw noson arbennig, a'r ffermwr yn ddigon parod i helpu fel arfer a chadw'n ddistaw. Wrth gwrs, fe dderbyniai gasgennaid o wirod neu baced o de am ei gymorth. Pe gwrthodai, gallasai gael trafferth â'i offer yn cael eu malu, ei anifeiliaid yn cael eu hanafu, neu ei ysguboriau'n cael eu rhoi ar dân!

Yn naturiol, pe byddai swyddogion y Cyllid yn cipio ceffylau rhyw ffermwr oddi ar smyglwyr byddai'r ffermwr yn pledio bod y ceffylau wedi mynd heb iddo wybod, a byddai'n eu cael yn eu holau. Weithiau ceid achosion go iawn o geffylau'n cael eu cymryd yn ddiarwybod i'w perchennog. Er enghraifft, cwynodd Ann Owen o Benrhos, Môn, mewn llythyr at ei brawd ym mis Mai 1738, fod ei gwas Owen Williams yn cam-drin y ceffylau am ei bod yn arfer ganddo ' . . . *to take ye Horsis yt carried ye Corn to the Mill in the day time to cary Run goods in the night time'*.

Un o'r anawsterau mwyaf i'r ffermwyr oedd ei bod yn anodd cael gweithwyr. Roedd dwy neu dair noson yn helpu smyglwyr yn talu'n llawer gwell nag wythnos o waith ar fferm. Rhyw wyth swllt yr wythnos oedd cyflog arferol gwas fferm ond weithiau gallai ennill dros ddeg swllt y noson yn helpu smyglwyr ac os oedd y gwas wedi bod allan drwy'r nos sawl gwaith yr wythnos, doedd arno fawr o awydd codi'r bore canlynol i weithio! Yn ôl aelod seneddol o Suffolk ar y pryd, *'For all the young clever fellows of the county are employed by smugglers . . . they find a much easier and more profitable employment than any they can have from the farmer, and while they are thus employed all improvements of land must remain in suspense'*. Dywed Thomas Pennant yntau yn ei gyfrol *Tours in Wales* (1778) fod amaethyddiaeth wedi gwella'n arw ym Môn wedi i smyglo o Ynys Manaw ddod i ben, '. . . *before that time every farmer was mounted on some high promontory, expecting the vessel with illicit trade . . . '*.

## Twneli

Mae llawer o sôn am lanwyr yng Nghymru yn defnyddio twneli i gludo'u nwyddau o'r traeth i fannau diogel. Er enghraifft, yn Llanunwas, Penfro, dywedir bod twnnel o Ogof Tybaco i gartref teulu'r Laugharnes, a oedd ag enw am ymwneud â smyglo yn ogystal â denu llongau ar greigiau er mwyn eu dryllio a'u hysbeilio.

Arferai tafarn yr *Old Swan* ger y Barri fod yn gyrchfan i smyglwyr yr ardal ac mae sôn fod twnnel yn mynd o'r dafarn i'r môr. Y tu ôl i'r dafarn ceir grisiau cudd a arweiniai unwaith i'r atig, ac mae un o'r llofftydd hyd heddiw yn llawer llai nag y dylai fod gan fod grisiau cudd y tu ôl i'r wal.

Ceir sôn am dwnnel o'r Hen Borth ar arfordir dwyreiniol Môn i ffermdy Mynachdy. Yma y trigai Dr Lloyd ar un adeg – y gŵr a fagodd fachgen a achubwyd o gwch ger Ynysoedd y Moelrhoniaid gan y smyglwr Dannie Luckie a oedd yn cyfarfod llong llawn nwyddau anghyfreithlon. Y bachgen hwn, a enwyd yn Evan Thomas, oedd y cyntaf o'r teulu enwog a gafodd eu hadnabod fel Meddygon Esgyrn Môn.

Roedd twnnel arall, yn ôl y sôn, o dafarn Llety Honest Man ym Mostyn i'r traeth.

Dywedir bod twnnel yn Aberdaron o'r Gegin Fawr i'r traeth a thwnnel arall o'r adeilad sydd ar y gornel gyferbyn, sydd bellach yn siop a chaffi, o dan y fynwent i'r traeth. Sonnir hefyd bod twnnel yn mynd o'r traeth o dan ffarm Tyddyn Isaf ger Tudweiliog a bod modd clywed sŵn y môr yn y ffermdy.

Mewn gwirionedd, ceir sôn am dwneli smyglo ym mhob ardal ar hyd arfordir Cymru.

## Cludwyr a dosbarthwyr

Unwaith y ceid y nwyddau'n ddiogel i guddfannau ar y lan roedd angen eu cludo, weithiau, am bellteroedd maith i'w dosbarthu i wahanol gwsmeriaid. Yn ne Lloegr roedd busnes cyflenwi anghenion Llundain mor fawr nes y byddai trenau hirion o dros gant o geffylau a throliau yn cludo'r nwyddau ganol nos, a hyd at gant o ddynion arfog yn eu gwarchod. Un o'r gangiau peryclaf a oedd yn ymwneud â hyn oedd yr *Hawkhurst Gang* yn Essex a fu'n gyfrifol am ladd sawl dyn Cyllid ac amryw un arall a fu'n ddigon gwirion i roi gwybodaeth amdanynt, neu gael eu hamau o wneud hynny, i'r awdurdodau.

Ceir cerdd gan Rudyard Kipling yn sôn am y cludo nwyddau yn ystod y nos:

*If you wake at midnight, and hear a horse's feet*
*Don't go drawing back the blind, or looking in the street*
*Them that ask no questions isn't told a lie*

*Watch the wall my darling, while the gentlemen go by!*
  *Five and twenty ponies*
  *Travelling through the dark –*
  *Brandy for the parson*
  *Baccy for the Clerk*
  *Laces for a lady; letters for a spy*
*And watch the wall my darling, while the gentlemen go by!*

Yn *Gweithiau Gethin* (1884) sonir am dri ar ddeg o ddynion, yn 1799, yn casglu gwirodydd yn ardal Penrhyndeudraeth ac yn cludo'r casgenni ar geffyl a throl o aber y Dwyryd, dros Fwlch Carreg y Frân am Ddyffryn Clwyd. Ond cafodd un ohonynt, William Jones y gwehydd, ei arestio a chael ei lusgo o flaen ynadon tref Dinbych. Gofynnodd y barnwr i William Jones, 'Beth ddaru chwi werthu ym Maes y Mynan?' Ateb William Jones oedd: 'Yr un peth, syr, ag a ddarfu i chwi brynu gennyf wythnos yn ôl.' Y canlyniad fu iddo gael ei ollwng yn rhydd! Ar ôl yr achos dywedir bod y gwehydd wedi mynd adref i'r Berllan Helyg i nôl rhagor o nwyddau anghyfreithlon a gadwai mewn seler gudd o dan ei wely!

Nid i Ddyffryn Clwyd yn unig y cludid nwyddau anghyfreithlon ar draws gwlad. Mewn llythyr dyddiedig Mehefin 1784 sonnir am smyglo nwyddau o aber afon Artro, Meirionnydd ar gefn mulod yr holl ffordd i Sir Amwythig.

Arferai smyglwyr o'r enw Jolly lanio nwyddau ar draeth Tan y Bwlch ger Aberystwyth a'u trosglwyddo oddi yno ar draws gwlad i Loegr. Bu brwydr rhyngtho a swyddogion y Cyllid ger Llanafan un tro a bu raid iddo ef a'i ddynion ffoi drwy Fwlchygroes.

Tra byddai rhai smyglwyr yn cludo'u nwyddau yn agored drwy'r pentrefi gyda dynion arfog yn eu gwarchod, roedd rhai yn llai agored. Yn 1820, byddai Boaz Pritchard, masnachwr o Gaernarfon, yn rhedeg brandi i'w gwsmeriaid yn ei hers! A cheir cyfeiriadau at ferched 'beichiog' yn cludo gwirod mewn *belly canteen*, sef potel i gario dau alwyn o dan eu dillad. Yn Nhrearddur, enwyd Ogof Beti ar ôl clamp o ddynes fawr a arferai gario gwirodydd yn ei dillad.

Dro arall, cafodd wagen yn llawn casgenni a oedd yn teithio ar hyd un o lonydd culion Llŷn ei stopio gan y dynion tollau. Pan ofynnwyd beth oedd yn y casgenni, dywedwyd mai dŵr o Ffynnon Cybi i'r offeiriad lleol oedd ynddynt a chawsant barhau ar eu taith yn ddirwystr. Mewn gwirionedd, gwirodydd a ddadlwythwyd ym Mhorth Dinllaen oedd yn y casgenni!

Cyfeiria Silvan Evans yn *Ysten Sioned* (1882) at rai fyddai'n dosbarthu nwyddau wedi'u smyglo yng Ngheredigion. Un oedd Enoc y Brandi fyddai yn ". . . cyflenwi y swydd o arwerthwr cyhoeddus mewn lleoedd anghysbell heb dalu yr un ffyrling am drwydded. Ei ddull gyda'r brandi a gwirodydd ereill fyddai eu rhoddi mewn cewyll ar gefn ei geffyl a'u gorchuddio â phenwaig heilltion."

## Gwarchodwyr

I warchod y rhai a oedd yn cario'r nwyddau o'r lan i mewn i'r tir roedd angen dynion arfog. Byddai'r rhain yn cario cytlas, cyllell ac weithiau pastwn hir hyd at bum troedfedd o hyd, yn aml â darn o haearn ar ei flaen. Roedd y pastynau hyn yn effeithiol iawn yn erbyn cleddyfau dynion y Cyllid a gallent daro dyn oddi ar ei geffyl yn hawdd. Byddai nifer o'r gwarchodwyr yn cario gynnau hefyd a chafwyd sawl ysgarmes rhwng y ddwy ochr – y smyglwyr yn aml yn ennill oherwydd bod mwy ohonynt! Disgrifia David Thomas, yn *Hen Longau Sir Gaernarfon*, yr helynt gafodd swyddogion Conwy yn Llandrillo yn 1761 pan oedd tyrfa fawr o ddau i dri chant o bobl yn dadlwytho nwyddau ar y traeth. Pledwyd y swyddogion â cherrig 'cyn amled â chenllysg', er iddynt danio ar y dyrfa.

Byddai llongau'r rhedwyr, yn enwedig y rhai mwyaf, yn barod i helpu'r glanwyr drwy gynnig escort arfog i'w gwarchod. *'No officer dared approach them, for they always sent armed men to deliver goods in safety,'* meddai Casglwr Trethi Biwmares am y *Fox*, a laniodd ar arfordir Môn ym mis Awst 1773.

Ddeng mlynedd yn ddiweddarach, yn 1783, adroddodd Casglwr Biwmares am longau o'r Iwerddon: *'The Crews escort them to any part of the Country well armed and daringly bidding defiance to the King's Officers when they endeavour to arrest them,'*

Byddai codi ofn ar bobl, un ai drwy fygwth neu drwy ffyrdd eraill hefyd yn fodd i sicrhau rhwydd hynt i'r smyglwyr. Yn Aberdaron ceir stori sy'n dyddio o gyfnod y smyglwyr am 'fwgan Pen-dre'. Yn aml iawn yn ystod y nos, gwelid goleuadau'n symud o Ben-dre i lawr yr allt a thrwy'r pentref i'r traeth ac yn ôl. Ysbryd, sef 'bwgan Pen-dre', oedd yno yn ôl rhai ond onid dynion yn cludo nwyddau anghyfreithlon o'r traeth oedd yno mewn gwirionedd? Yn sicr, fe fyddai creu sôn am ysbryd yn ddigon i rai gadw draw a phetai rhywun yn holi, byddai'n esboniad cyfleus am y goleuadau a fyddai i'w gweld yn yr ardal ambell noson.

## Cefnogaeth trigolion lleol

Roedd y glanwyr yn ddibynnol ar gydweithrediad llwyr y bobl leol. Byddai ffermwyr y glannau a'u gweision yn eu helpu i ddadlwytho'r nwyddau drwy gyflenwi ceffylau a throliau i'w cludo a'u storio. Yn naturiol, fe gaent gydnabyddiaeth – casgenaid o wirod yn aml – am eu help ac am gau eu cegau! Yn ogystal arferid llwgrwobrwyo i brynu cydweithrediad. Byddai un smyglwr o Gaernarfon yn talu £400 y flwyddyn i wahanol bobl i gau eu cegau.

Gallai'r smyglwyr ddibynnu ar gefnogaeth gyffredinol ymysg trigolion lleol ac mewn rhai ardaloedd arfordirol ceid cuddfannau bron ym mhob tŷ i guddio nwyddau anghyfreithlon nes y byddai'n ddiogel i'w symud. Mewn rhai trefi, dywedir bod pob masnachwr un ai'n smyglo neu'n delio mewn nwyddau wedi eu smyglo, bod pob tŷ tafarn yn gwerthu diod wedi ei smyglo, a bod pob bonheddwr ac ynad yn prynu nwyddau di-doll. Roedd hyd yn oed yr eglwys yn helpu'r smyglwyr, gyda nid yn unig yr offeiriaid yn prynu brandi, ond hefyd fe gedwid y cargo anghyfreithlon mewn adeiladau eglwysig ac yn y fynwent, yn enwedig mewn beddau cist.

Pan bregethodd John Wesley yng Nghernyw yn 1743 yn erbyn smyglo, gan gyfeirio at yr arfer fel 'detestable *practice'*, cafodd ei bledu efo wyau a cherrig. Yn wir, gwrthodai Wesley yfed te am y byddai, yn fwy na thebyg, wedi ei smyglo. Yng Nghymru roedd y Methodistiaid yn daer yn erbyn smyglo a byddai Esgob Tyddewi yn gorchymyn pregeth unwaith y flwyddyn yn holl eglwysi'r Esgobaeth yn erbyn smyglo a llongddryllio (sef denu llongau ar y creigiau er mwyn eu hysbeilio). Ond y gwir amdani oedd bod offeiriaid yr eglwys cymaint â neb yn falch o gael brandi a nwyddau eraill am bris 'rhesymol'. Ym mis Mehefin 1774, cafodd swyddogion y tollau hyd i focs yn cynnwys 86 pwys o sebon wedi ei smyglo yn nhŷ Huw Gruffydd, Tŷ Mawr, Edern – un o arloeswyr Methodistiaeth yn Llŷn!

Câi'r smyglwyr gefnogaeth y bonedd ym Môn hefyd. Yn nyddiadur William Bulkeley o Frynddu, Llanfechell, ceir cofnod dyddiedig 12 Rhagfyr 1738 yn disgrifio ei agwedd tuag at y cyfreithiau gwrth-smyglo:

*I set out . . . to hear . . . informations against persons offending against the cruell an terrible Act against smuggling . . . the proofs against them not being fully and clearly shown (considering the terribleness of that statute and the penalties annexed to it) we acquitted all three.*

Ceir cofnod arall dyddiedig 2 Gorffennaf 1739:

*Met in the evening the Collector of the Customs of Holyhead at Hugh Price's House to hear an information against the smugglers. Condemned the goods seized, but discharged the persons complain'd of from any penalties.*

Nid yn unig yr oedd William Bulkeley yn barod i adael i'r smyglwr fynd yn rhydd ond roedd ef ei hun yn prynu nwyddau anghyfreithlon o bryd i'w gilydd. Dywed, yn hollol agored, yn ei ddyddiadur dyddiedig 21 Medi 1742:

> *Paid a Flintshire smuggler that was come to Cemaes from the Isle of Man, 25/- [£1.25] for 5 galls. of French Brandy, which I think is right good!*

Ceir cofnodion eraill ganddo o bryd i'w gilydd am brynu galwyni o rym, claret a gwin gwyn hefyd.

Ac nid Bulkeley oedd unig fonheddwr yr ynys a oedd am gael ei ddwylo ar ddiodydd di-doll. Aeth 14 o bobl amlwg o ardal Amlwch ar eu gwyliau i Ynys Manaw mewn slŵp 25 tunnell a honno'n eiddo i rai o wŷr amlycaf yr ardal, gan gynnwys meddyg ac un o swyddogion y tollau. Pan ddaethant yn eu holau, cawsant eu cyhuddo o smyglo gwirodydd a chymerwyd y llong oddi arnynt. Anfonwyd deisyfiad at uchel swyddogion y Cyllid i ddweud mai wedi prynu'r gwirodydd yn gyfreithlon i'w hyfed ar y ffordd adref yr oeddent – ond bod tywydd garw wedi eu hatal rhag agor yr hatsus. Derbyniwyd yr esgus hwnnw a chawsant y llong yn ôl. Os mai hynny oedd y gwir, roedd yn amlwg eu bod wedi bwriadu cael andros o barti gan fod saith dwsin o boteli gwin a phedwar galwyn o rym ar y llong – a hynny rhwng 14 o bobl, oedd yn cynnwys y Person lleol!

Ceir traddodiadau lleol mewn sawl ardal fod gan y smyglwyr arwydd cyfrinachol i nodi pa dŷ oedd yn 'ddiogel' a ble'r oedd cyfeillion i'w helpu. Yr arwydd hwnnw oedd gwaelod potel wydr wedi ei smentio i'r wal o dan y bondo. Does ond gobeithio na ddeallai gwŷr y Cyllid beth oedd ystyr yr arwydd!

Roedd y bobl gyffredin hefyd yn awyddus i gael eu dwylo ar nwyddau'r smyglwyr ac mewn rhai achosion os na fyddai ganddynt arian i dalu, byddid yn ffeirio nwyddau fferm am yr hyn yr oedd arnynt eu hangen. Roedd fferm Brynffanigl Uchaf ger Betws-yn-Rhos yn ganolfan ar gyfer cyfnewid nwyddau anghyfreithlon megis gwin a sbeisys ac ati am gynnyrch fferm. Deuai'r nwyddau o Landdulas ac roedd ganddynt drefniant i edrych drwy ffenestri uchaf y ffermdy am oleuadau'n fflachio i ddweud bod y nwyddau wedi cyrraedd y traeth.

Ar draeth Felin Fraenan sydd ger y tro o'r arfordir yn y ffordd fawr rhwng Llwyngwril a Llangelynnin yn ne Meirionnydd, byddai smyglwyr yn dod i ddadlwytho halen. Yn ôl y traddodiad, byddai merched a phlant yr ardal yn cerdded am filltiroedd i'r traeth gan fynd â nwyddau megis menyn ac wyau efo nhw at lecyn arbennig o'r enw Carreg Halen i'w cyfnewid am halen gan y smyglwyr.

Ar ogledd penrhyn Llŷn, ar y llethr uwchben pentref Trefor, saif murddun o'r enw Uwch Foty, ond enw lleol arall arno oedd Tŷ Halen am mai yno yr âi trigolion y fro i nôl halen di-dreth.

Gan fod eu llongau'n arafach, ofn mawr y smyglwyr oedd cael eu dal ac i'r Cyllid ddod o hyd i'r cargo anghyfreithlon ar eu llongau. Roedd gan un llong yn ardal Folkestone leoedd gwag yn ei mast, yn ei rhwyfau ac yng nghorff y llong ble gallai guddio hyd at chwe galwyn o frandi neu rym. Roedd ar sawl llong guddfannau cyfrinachol yn y cabanau i guddio nwyddau.

Byddai rhai yn cuddio nwyddau anghyfreithlon y tu mewn i nwyddau cyfreithlon. Er enghraifft, cuddio baco mewn casgenni o seidr cyfreithlon. Ac roedd gan rai smyglwyr fagiau arbennig o dan eu dillad i guddio te neu les. Mewn rhai achosion byddai aelodau o'r criw yn cario hyd at 30 pwys o de o dan eu dillad a daeth y term *bootlegger* o'r arfer o smyglo tybaco i'r lan yn eu hesgidiau uchel.

Pan archwiliwyd y *Windsor* o Aberystwyth, a oedd yn llwytho calch yn Nhraeth Coch, Môn, ym mis Awst 1764, sylwodd y swyddog fod llawer o botiau o fenyn ar ei bwrdd ac aeth yn amheus wrth sylwi fod y potiau'n ysgafnach na'r disgwyl. Darganfu mai bagiau o de oedd yn y potiau, a haen o fenyn ar eu pennau i'w cuddio!

Yn aml iawn, yn hytrach na dod â'r llong i'r lan ble y byddai'n fwy tebygol o gael ei dal, byddai'r nwyddau'n cael eu dadlwytho i gychod bach i'w cludo i'r traethau. Yn ardal Selsey, de Lloegr, roedd gan y smyglwyr gychod a thyllau ynddynt, ac felly, pan fyddai'r cychod yn llawn o gasgenni gwirodydd, byddent yn suddo o dan wyneb y dŵr ac yn cael eu cario i'r lan gyda'r llanw.

Tric arall gan y smyglwyr – pan fyddai llong y Cyllid ar eu gwarthaf – oedd clymu'r casgenni i'w gilydd â rhaff ac wrth garreg drom a'u taflu i'r môr, a hynny ar yr ochr bellaf i'r llong fel nad oedd dynion y Cyllid yn gweld beth oedd yn digwydd. Yn ddiweddarach, byddai'r glanwyr yn mynd allan mewn cwch ac yn bachu'r rhaff a llusgo'r casgenni i'r lan.

Roedd gan smyglwyr Sir y Fflint gwch arbennig i smyglo halen o Sir Gaer. Roedd drws yn ei hochr a phe byddai'r awdurdodau'n dod ar eu gwarthaf byddent yn agor y drws a gadael i ddŵr y môr olchi'r halen allan! Dywedir bod gan Huw Andro o Lŷn gwch tebyg.

Hyd yn oed wedi i'w nwyddau anghyfreithlon gael eu cipio, doedd ambell smyglwr ddim yn barod i roi'r ffidil yn y to. Ym mis Medi 1786, ymddangosodd David Roberts o Borth-y-gest gerbron y llys wedi ei gyhuddo o rwystro swyddog tollau a'i was rhag gwneud eu gwaith ar y Traeth Bach. Yn ôl y dystiolaeth, roedd y swyddogion wedi cipio'r cargo anghyfreithlon o halen ond bod Roberts, ger Trwyn y Penrhyn, wedi ceisio'i gymryd yn ôl, a'r cyhuddiad oedd ' . . . *for rescuing out of the possession of the said Andrew Paynter* [y swyddog tollau] *a boat and ten bags of prohibited salt after seizure'*.

Dywedir y byddai smyglwyr yn gwneud elw pe bydden nhw ond yn gallu glanio un llwyth o bob tri – digon, yn aml, i wneud iawn am golli ambell long hyd yn oed, cymaint oedd yr elw o smyglo.


## Ymladd a chymorth y fyddin

Wrth i'r fasnach anghyfreithlon dyfu, daeth mwy a mwy o bobl i gymryd rhan ynddi, nes weithiau ceid gangiau o rai cannoedd yn ymwneud â smyglo. Ar adegau byddai smyglwyr yn ddigon beiddgar i ddod â nwyddau i'r lan yng ngolau dydd a bu sawl brwydr rhyngddynt a dynion y Cyllid – a milwyr hefyd ar adegau. Cafodd sawl un ei ladd ar y ddwy ochr.

Roedd y gwaith yn beryglus iawn. Mewn adroddiad gan wasanaeth y Cyllid yn 1736, dywedwyd fod 250 o ddynion Cyllid wedi cael eu curo neu eu hanafu ers Nadolig 1723, a chwech arall wedi'u lladd.

Roedd Penfro ymysg y mannau peryclaf iddynt. Roedd yr Arglwydd Cawdor o *Stackpole Court* yn benderfynol o ddal smyglwyr, ac yn ystod mis Tachwedd 1801, pan glywodd fod llong amheus ym mae *Freshwater East*, aeth yno efo'r casglwr tollau lleol. Pan gyrhaeddwyd gwelwyd nifer fawr o gasgenni ar y traeth a chychod yn cario rhagor o'r llong ar y môr. Ceisiodd Cawdor a'r swyddog feddiannu'r casgenni a oedd eisoes wedi dod i'r lan ac arestio'r glanwyr ond aeth yn frwydr a chafodd Cawdor gurfa ddrwg. Un smyglwr yn unig a ddaliwyd ac aed ag ef i'w gadw mewn tŷ yn Nhrewent, ond ymosododd ei gyfeillion ar y tŷ a'i ryddhau.

Nid smyglwyr oedd yr unig berygl i ddynion y Cyllid. Sonnir am Lewis Williams, *tidesman* o Gaergybi, *'as he was going out of the Custom House on his duty; was met by a Boar, which bit him on his knee, and hurt him in such a manner that he was disabled from Duty'*. A phan ddychwelodd Williams i'w waith, disgynnodd wrth fynd ar gefn ei geffyl a brifo'r un ben-glin!

Pe byddai'r Cyllid o'r farn nad oedd ganddynt ddigon o adnoddau i ddelio â'r smyglwyr, roedd hawl ganddynt i alw ar y fyddin a'r llynges i'w cynorthwyo. Digwyddodd hynny ym Mhwllheli yn 1796 pan laniodd deunaw o smyglwyr yn y dref a gwneud fel y mynnent yno nes y cyrhaeddodd cwmni o filwyr ar geffylau a'u herlid yn ôl i'w llongau.

Ond ar y cyfan, roedd y milwyr yn anfodlon peryglu eu bywydau ar waith y Cyllid gan fod y smyglwyr, yn aml iawn, yn llawer rhy niferus ac wedi'u harfogi'n rhy dda iddynt. Hefyd, oherwydd bod cyflogau'r fyddin cynddrwg roedd llawer o is-swyddogion y fyddin yn barod i gymryd eu llwgrwobrwyo i gadw draw oddi wrth unrhyw ddadlwytho anghyfreithlon. Roedd hyn yn wir, yn ogystal, am rai swyddogion Cyllid; hynny yw, er eu bod yn derbyn eithaf cyflog – rhwng £30 a £40 y flwyddyn, gallai glaniwr anghyfreithlon wneud hyd at £3,000 o laniad llwyddiannus ac felly medrai fforddio cynnig ambell gildwrn.

Mewn rhai achosion ceir tystiolaeth fod rhai o swyddogion y fyddin yn gefnogol i'r smyglwyr hyd yn oed. Cawn enghraifft o hyn oddeutu 1806 yn Llan-non, Ceredigion pan fu brwydr ffyrnig rhwng dynion y Cyllid a phobl leol. Yr hyn sy'n ddiddorol yw mai milwyr yn y gwarchodluoedd gwirfoddol oedd llawer o'r rhai a ymosododd ar ddynion y Cyllid. Eu pennaeth oedd Mr Strike, 'y smyglwr mwyaf yng Nghymru' ar y pryd, yn ôl y sôn.

Nid yng Nghymru'n unig yr oedd milwyr yn amharod i helpu dynion y Cyllid. Yn Dungeness, Caint roedd criw o *riding-officers* yn ceisio cipio casgenni o jin a oedd yn nofio ar y dŵr, ond ymosodwyd arnynt gan filwyr Milisia Sir y Fflint a oedd ar ddyletswydd yn yr ardal!

Mewn achos arall ym Mhenfro yn 1805, darganfu'r *Pembrokeshire Sea Fencibles* gyflenwad cudd o rym a fodca anghyfreithlon. Yn hytrach nag ymgymryd â'r holl waith papur a fyddai'n gysylltiedig â throsglwyddo'r gwirodydd i'r Cyllid, gorchymynnodd y capten ei ddynion i yfed y dystiolaeth!

Roedd ychydig gwell trefn ar fintai o Ffiwsilwyr Cymreig a oedd ar ddyletswydd yn Suffolk ar 11 Rhagfyr

1747. Roedd uned ohonynt dan arweiniad Lefftenant Dunn wedi cael gorchymyn i gynorthwyo swyddogion y tollau i atal *cutter* smyglwyr rhag gadael nwyddau mewn bae ger Sizewell. Ond cymaint oedd nifer y smyglwyr fel y bu'n rhaid i'r milwyr gilio – a hynny i dafarn gerllaw! Arhosodd y milwyr yno am hanner awr nes i ddeg ar hugain o smyglwyr arfog ar gefn ceffylau ddod i fuarth y dafarn. Pan welodd Lefftenant Dunn nhw gorchymynnodd ei ddynion i wagio'u peintiau a brysio allan. Galwodd ar y smyglwyr i ildio ond taniodd y smyglwyr atynt. Pan daniodd y milwyr yn ôl, ffodd y rhan fwyaf o'r smyglwyr, a daliwyd dau ohonynt.

## Cosb a pheryglon

Roedd yr awdurdodau'n ystyried smyglo yn drosedd ddifrifol ac roedd y dirwyon yn rhai trymion. Y gosb am anafu neu ladd dyn y Cyllid oedd crogi ac yna gosodid y corff mewn sibed yn rhybudd cyhoeddus i eraill. Golygai hynny roi'r corff mewn tar, clymu cadwyni amdano a'i osod yn y sibed, neu gawell haearn a oedd yn crogi o ffrâm bren gadarn, a'i adael mewn man cyhoeddus am beth amser.

Nid y Cyllid yn unig a fyddai'n atal smyglwyr rhag dod â'u nwyddau i'r lan – roedd peryglon o'r môr ei hun hefyd. Aeth dwy long smyglwyr i drafferthion oddi ar arfordir Môn yn 1763. Roedd y *Molly* yn cario rym, siwgr a chotwm o Monserrat yn y Caribî i Ynys Manaw pan gafodd ei llongddryllio ym mae Caergybi. Yn yr un modd cafodd y *Phillipe* ei gyrru ar greigiau gogledd yr ynys.

# Ynys Manaw

Roedd sawl rhan o deyrnas Lloegr, porthladdoedd yn bennaf, yn rhydd o drethi tan ddechrau'r bymthegfed ganrif, ond yn raddol daeth y porthladdoedd dan reolaeth y brenin. Y rhan olaf o Brydain i golli ei rhyddid oedd Ynys Manaw. Roedd Syr John Stanley wedi derbyn yr ynys gan Harri'r Pedwerydd yn 1405 ac arhosodd yr ynys yn 'breifat' tan 1765 pan gymerodd Coron Lloegr yr hawl arni. Roedd porthladdoedd Manaw hyd hynny, felly, yn rhydd o drethi ac o'r ynys honno y deuai llawer o nwyddau anghyfreithlon i Gymru a gogledd-orllewin Lloegr yn yr ail ganrif ar bymtheg a'r ddeunawfed ganrif. Ynys dlawd, yn dibynnu ar bysgota, oedd Ynys Manaw nes y daeth dynion busnes o Lerpwl i dref Douglas ychydig wedi 1700 i fanteisio ar y ffaith fod yr ynys yn annibynnol o Loegr.

Buan y daeth yr ynys yn ganolfan smyglo bwysig iawn a deuai llongau mawrion â nwyddau o Jersey a Llydaw (Nantes a Lorient oedd y prif ganolfannau yno) a hyd yn oed o ogledd America i Fanaw ble'u cedwid mewn storfeydd anferth. Yna byddai'r smyglwyr yn eu dosbarthu ar hyd arfordiroedd Cymru, yr Alban a gogledd Lloegr mewn llongau llai, hyd at 50 tunnell, a fyddai'n llawer mwy cyfleus i ddod â'u cargo reit i'r lan liw nos. Dyma ddisgrifiad Captain Gambold o'r Gwasanaeth Cyllid ym Miwmares ym mis Ebrill 1763 o ddulliau smyglwyr Manaw. Byddent yn llogi llongau o'r math a elwid yn *Irish Wherries* 30 i 40 tunnell gyda criw o ddeg fyddai'n *'come ashore at midnight, took about am hour to unload. Local farmers carted the load . . . bonfire lit to warn if trouble* [sef i alw am help]'.

Dywedir yn ystod y cyfnod hwnnw fod 'pob Manawr yn smyglwr' a'r cwbl y gallasai'r Goron ei wneud oedd rhoi swyddogion yn y prif borthladdoedd, ond doedd ganddynt ddim hawl i wneud dim mwy na gwylio – ni chaent godi ceiniog o dreth. Pe byddai'r swyddogion eisiau gyrru rhybudd i'r tir mawr fod nwyddau ar y ffordd yno, byddai'r smyglwyr wedi cyrraedd yno o'u blaenau.

Roedd amryw o Gymry ymysg criwiau'r llongau a oedd yn smyglo o Fanaw i ogledd Cymru. Cawn gofnod o hyn yn nyddiadur William Bulkeley, Brynddu, 29 Mehefin 1739:

> Last night the Custom house Cruiser took off of Cemaes bay a Large boat comeing from the Isle of Man with Brandy etc and carryed them to Beaumares. 3 of the crew were of this neighbourhood. Owen Edwards of this parish a very poor man and father of 5 small children, Rowland Morgan and John Prich'd Samuel a Shoemaker of the same parish.

Ond nid oedd pawb o'r ynyswyr yn hapus â'r smyglo. Yn 1742 ysgrifennodd Esgob Manaw:

> Our people are mightily intent upon enlarging the harbours at Peel, Ramsay and Douglas; but the iniquitous trade carried on, on the injury and damage of the Crown, will hinder the blessing of God from falling upon us.

Fe newidiodd pethau'n arw yn 1765 pan gymerwyd Ynys Manaw gan Lywodraeth Prydain gan dalu £70,000 o iawndal amdani i'w pherchennog, yr Arglwydd Atholl.

Roedd hynny'n eithaf bargen o ystyried y collai'r Trysorlys hyd at £750,000 y flwyddyn o ddollau oherwydd smyglo o'r ynys!

Pan sefydlwyd Gwasanaeth Cyllid yr ynys yn fuan wedyn rhaid oedd i'r swyddogion fod yn ofalus iawn sut yr oeddent yn trin y Manawyr neu fe fyddai gwrthryfel yn sicr. Felly, heblaw am godi tollau ar nwyddau newydd a gyrhaeddai'r ynys, ni wnaethpwyd dim i atal smyglo i'r tir mawr yr hyn a oedd eisoes mewn storfeydd ar yr ynys.

Fe weithiodd hynny ac o fewn ychydig amser roedd llawer llai o smyglo na chynt yn digwydd a dywedodd Casglwr Tollau Biwmares yn 1766: *'not a twentieth part what used to be in the same period . . . as soon as their old stock of Spirits and Tea are disposed of there'll be no more Smuggling from the Isle of Man.'*

Problem i'r awdurdodau yn awr oedd ceisio perswadio'r Manawyr i ddilyn gyrfaoedd cyfreithlon megis pysgota, felly ni chodwyd treth ar halen ar yr ynys er mwyn iddynt fedru halltu pysgod. Ond buan y canfu'r Manawyr fod gwell elw i'w wneud o smyglo'r halen hwnnw yn ôl i wledydd Prydain!

Oherwydd colli Ynys Manaw fel canolfan gyfleus i ddosbarthu nwyddau, bu'n rhaid i'r rhedwyr newid rhywfaint ar eu trefn a'u dulliau. Bellach roedd yn rhaid cludo'r nwyddau yr holl ffordd o Lydaw, Ffrainc neu Ynysoedd y Sianel a golygai hynny orfod defnyddio llongau llawer mwy a chyflymach. Roedd y rhain wedi'u harfogi'n llawer gwell ac oherwydd bod y llong a'r cargo yn fwy gwerthfawr, roedd ganddynt fwy i'w golli. Roeddent felly yn fwy ymosodol a pharotach i ymladd yn erbyn *cutters* y Cyllid.

Ym mis Mai 1767 ceir disgrifiad o long smyglwyr o Ffrainc a oedd wedi dod i ailsefydlu busnes yng ngogledd Cymru ar ôl colli Ynys Manaw. Roedd wedi dadlwytho'r rhan fwyaf o'i chargo yn ne Cymru cyn dod i Fôn ac yna i Forfa Rhuddlan. Ym Morfa Rhuddlan daeth ugain gŵr arfog i'r lan i warchod y dadlwytho a chynnig escort arfog i'r wagenni ar eu taith. Gadawsant chwe gwn cegrwth *(blunderbus)*, pum myscet, saith pistol, tri ar ddeg cytlas, gwn llong *(carriage gun)*, gwn troi *(swivel gun)* a hanner can pwys o bowdr du.

Yn 1770 ymosododd John Connor ar long Cyllid y *Pelham Cutter*, a oedd dan law Capten Gambold, a'i suddo ger Biwmares. Rhwng 1772 ac 1780 byddai llongau smyglwyr mawr arfog (hyd at 200 tunnell) yn dadlwytho te a gwirodydd ar hyd arfordir y gogledd heb ofni neb. Yn 1775 daeth *cutter* Wyddelig fawr (150 tunnell) efo 30 o griw i redeg nwyddau i ogledd Môn, y Gogarth a Morfa Rhuddlan. Bu yno am bythefnos, gan fygwth chwalu tŷ swyddog y glannau pe ceisiai wneud unrhyw beth yn eu herbyn – ac fe gafodd lonydd hefyd!

Rhai o'r 'rhedwyr newydd' Cymreig hyn yn y 1780au oedd:

Capten John Messey – *Le Tris*, Abertawe, 130 tunnell
Capten Maurice Griffiths – *Liberty*, y Bermo, 100 tunnell
Capten John Jones – *Catherine*, y Bermo, 130 tunnell
Capten Thomas Jones – *Dispatch*, 100 tunnell

# Iwerddon

Wedi colli Ynys Manaw fel canolfan ddosbarthu mor gyfleus, daeth Port Rush ger Dulyn i gymryd ei lle i raddau helaeth. Ceir tystiolaeth i smyglwyr Dyfrdwy, a oedd wedi dibynnu ar Fanaw cyn hyn, gymryd rhan flaenllaw yn y newid hwn.

O Iwerddon y byddai trigolion gogledd a gorllewin Cymru yn cael llawer o'u nwyddau di-doll oherwydd nid oedd Iwerddon yn rhan o Brydain tan Ddeddf Uno 1800, a olygai nad oedd trethi Prydain, cyn hynny, yn weithredol yno. Ceid siediau nwyddau anferth yn Nulyn, a phorthladdoedd eraill, i gadw nwyddau o Ffrainc a lleoedd eraill ar gyfer eu dosbarthu'n ddiweddarach i Gymru a gogledd Lloegr gan y smyglwyr.

Yng Nghymru roedd galw mawr am halen i halltu cig, menyn a phenwaig (dyma oedd y dull o gadw bwyd cyn dyfeisio'r rhewgell) ond roedd yr halen yn ddrud iawn gartref oherwydd y trethi. Weithiau fe gostiai cymaint â phedair ceiniog y pwys ond yn Iwerddon dim ond ceiniog y pwys oedd ei bris – a hynny'n cynnwys costau mewnforio halen i Iwerddon o'r mwynfeydd yn Sir Gaer. Byddai'r smyglwyr yn ei brynu yn Iwerddon am geiniog y pwys ac yn ei werthu yng Nghymru am ddwy geiniog y pwys – dwywaith y pris a dalwyd amdano, a oedd yn elw da iawn, ac eto doedd hynny ond hanner y pris cyfreithlon.

Roedd yr awdurdodau'n ymwybodol o'r broblem a chynhaliwyd arolwg yn 1740, gydag aelodau o'r Bwrdd Halen yn teithio o borthladd i borthladd, ond yn aml yn nodi 'nad oedd smyglo yn digwydd yma'. Gwna hyn i

*Tafarn y Ship, Aberddawan, ar lan y môr ar arfordir Morgannwg*

*Castell Penard, Penrhyn Gŵyr*

*Maenorbŷr, Penfro*

*Yr hen harbwr, Dinbych-y-pysgod*

*Traeth Porth Mawr, ger Tyddewi*

*Cwm, Abergwaun*

*Ceinewydd, Ceredigion*

*Cofio am Siôn Cwilt yn un o
dafarnau'r Cei heddiw*

*Grisiau'r harbwr, Y Cei*

52

*Traeth Cwmtydu,*
*glanfa ddirgel Siôn Cwilt*

*Yr ogof yng Nghwmtydu*

*Cei Bach*

53

*Borth*

*Tafarn y Friendship, Borth*

*Tŷ Gwyn, Y Bermo*

54

*Harbwr Pwllheli*

*Y Cafn, glanfa gychod ar Ynys Enlli*

*Traeth Aberdaron*

*Tafarn Tŷ Coch ar draeth Porth Dinllaen*

*Cei Llechi, Caernarfon*

*Tafarn yr Anglesey wrth y fynedfa i harbwr Caernarfon - yr adeilad hwn oedd swyddfa swyddogion y Cyllid ar un adeg*

*Symudwyd swyddfa swyddogion y Cyllid i'r adeilad hwn ger Porth yr Aur, Caernarfon yn ddiweddarach*

*Harbwr Caergybi*

*Moelfre*

*Tafarn y Ship, Traeth Coch*

*Biwmares*

*Conwy*

*Llandudno a Phenygogarth*

*Un o gilfachau Trwyn y Fuwch, Rhiwledyn yr ochr ddwyreiniol i Fae Llandudno*

*Lamp smyglwyr*

*Gwobr i'r Ficar*

*Cynnig gwobr am wybodaeth*

*Llun Fictorianaidd rhamantus o gwffas rhwng smyglwyr a swyddogion y Cyllid*

*Lewis Morris, y Swyddog Tollau o Fôn*

*Swyddog y Tollau yn dal smyglwyr diniwed y 1950au*

*Cŵn wedi'u hyfforddi i arogli cyffuriau*

*Penawdau ein hoes ni yn adrodd hanes smyglo a smyglwyr cyfoes yng Nghymru*

rywun feddwl bod yr arolygwyr un ai wedi derbyn cildwrn neu fod y trigolion yn gwybod eu bod ar eu ffordd ac wedi llwyddo i guddio'r halen.

Gan ei bod mor agos i Iwerddon, i Gymru y deuai llawer o nwyddau'r smyglwyr a Port Rush oedd y prif borthladd ar gyfer hynny. Ond ni fyddai llongau Iwerddon yn dilyn y llwybr byrraf drosodd bob amser; tueddent i osgoi llawer o lannau'r gorllewin, yn enwedig pan fyddai'r tywydd yn anffafriol, gan fod dŵr bas yno a gallai'r llongau fynd yn sownd yn y tywod. Oherwydd hynny, byddent yn aml yn cyfeirio am arfordir y de lle'r oedd yn fwy diogel i drosglwyddo'r nwyddau i'r lan.

Yn aml, criwiau Llydewig neu Ffrengig fyddai'n trosglwyddo nwyddau'n uniongyrchol i Gymru a byddent yn falch o gael seibiant byr mewn man cysgodol oddi ar arfordir Iwerddon, ble nad oedd fawr o obaith iddynt gael eu dal, i aros i'r tywydd a'r llanw fod yn iawn cyn hwylio'r ychydig oriau i ddadlwytho ar lannau Cymru.

Yn niwedd y ddeunawfed ganrif, ar arfordir gorllewinol Iwerddon, gŵr o'r enw Morgan O'Connell oedd yn rheoli'r smyglwyr. Daeth ei fab, Daniel O'Connell, yn amlwg yn y frwydr i ennill annibyniaeth i Iwerddon yn ddiweddarach.

Ar hyd yr arfordir, byddai timau'n disgwyl am longau o Iwerddon i ddod â the a gwirodydd i'r lan. Yn Aberdaugleddau ac Abertawe, fe ddigwyddai hynny yng ngolau dydd a phe byddai swyddogion y Cyllid yn ceisio eu hatal, byddai'r smyglwyr yn sicr o ymladd yn eu herbyn. Doedd dim parch i'w llongau chwaith. Yn 1770 daeth tair llong gyda phedwar ugain o smyglwyr o

Iwerddon ar draws y *Pelham, cutter* y Cyllid, wrth angor. Byrddwyd y *Pelham* a bu dynion y Cyllid yn lwcus i allu dianc yn fyw. Daethpwyd o hyd i'r *cutter* wedi ei dryllio ar greigiau Ynys Dewi *(Ramsey)* yn ddiweddarach a phopeth wedi'u dwyn oddi arni.

# Dynion y Cyllid

Sefydlwyd Gwasanaeth y Cyllid yn y drydedd ganrif ar ddeg pan ddechreuwyd codi tollau am y tro cyntaf. Ehangwyd y ddarpariaeth dros y blynyddoedd a chodwyd tolldai yn y prif borthladdoedd, ble byddai'r cynnullwr *(collector)* a swyddogion tollau eraill yn gweithio a phle cedwid y nwyddau a gipiwyd.

Erbyn y ddeunawfed ganrif, oherwydd yr holl smyglo, a'r llywodraeth o ganlyniad yn colli symiau enfawr o arian, penderfynwyd sefydlu gwasanaeth i blismona'r arfordiroedd ac i ddal y smyglwyr. Swyddogion y Cyllid neu'r seismyn (o'r Saesneg *excisemen*) oedd y rhain, a dyma ddisgrifiad o sut y byddent yn cyflawni eu dyletswyddau:

> *They came on duty at dusk and went to bed at dawn. Every night they were assembled in the watchroom, armed with pistol and cutlass or with musket and bayonet . . . no man was given his instructions until he reported for duty and he was forbidden to communicate with his family after he received them . . . the guard was inspected twice a night to see if it was alert and watchful.*

Yn 1800 roedd gan y gwasanaeth tollau ddeugain o longau gyda chyfanswm o ddau gant o ynnau mawrion arnynt, ynghyd â saith gant o ddynion. Ar bob llong roedd capten, mêt a nifer o longwyr, yn dibynnu ar faint y llong. Roedd disgwyl iddynt fod allan ar y môr yn arbennig yn ystod y nos ac ar dywydd gwael gan mai dyna pryd y byddai'r smyglwyr yn ceisio dadlwytho'u cargo. Ond gyda'r smyglwyr yn gwneud cymaint o arian, roedd hi'n demtasiwn anferth i ddynion y Cyllid gau un llygad a dal llaw agored am gwdyn o arian neu gasgen o frandi.

Derbynient gyflog a hefyd gallent ennill gwobrau yn ôl eu canlyniadau – hynny yw, byddai unrhyw nwyddau y byddent yn eu cipio yn cael eu gwerthu, a'r arian yn cael ei rannu rhyngddynt a pherchennog y llong, wedi i'r llywodraeth dderbyn hanner yr arian. Byddai'r rhan fwyaf o longau'r Gwasanaeth Cyllid yn eiddo preifat, wedi eu llogi gan Fwrdd y Tollau, a'r perchnogion yn derbyn cyfran o unrhyw nwyddau anghyfreithlon a fyddai'n cael eu cipio.

Gwisgai swyddogion y Cyllid grysau cochion a throwsusau glas, tra byddai swyddogion y llong – y capten a'r mêt – yn gwisgo het uchel a chôt las hir gyda botymau pres a'r tyllau botymau wedi'u haddurno ag edau arian. Byddai gan bob swyddog gleddyf trwm a phistol.

Chwifiai pob llong o eiddo'r Cyllid faner fechan fain oddi ar y mast. Dim ond pan fyddent ar warthaf smyglwyr y byddent yn cael chwifio'r faner hon ac roedd rheol na chaent ymosod ar long smyglwyr heb yn gyntaf godi'r faner, ond cafwyd achosion o longau smyglwyr yn defnyddio baner debyg er mwyn drysu dynion y Cyllid.

Yn ogystal â dynion ar y llongau ac yn y tolldai, roedd swyddogion eraill yn crwydro'r arfordiroedd, sef swyddogion marchogaeth neu *riding officers*. Ffurfiwyd y fintai hon yn 1698 ac fe'u lleolwyd ar hyd y glannau, hyd at ddeng milltir oddi wrth ei gilydd – yn dibynnu ar natur yr arfordir a pha mor ddrwg oedd smyglo yn yr ardal. Byddai'r prif swyddog marchogaeth yn gyfrifol am chwe marchog a'u gwaith fyddai teithio'n ôl ac ymlaen rhwng y swyddogion, gan gadw golwg ar y traethau a'r cilfachau am arwyddion o smyglo. Pe byddai un ohonynt yn amau fod smyglo'n digwydd, byddai'n carlamu tuag at y gweddill i ffurfio mintai i geisio dal y drwgweithredwyr. Hefyd, pe gwelid llong amheus allan ar y môr, hysbysid y llongau Cyllid er mwyn iddynt fynd ar ei hôl. Ond roedd pryder ar adegau fod y marchogion yn cael eu llwgrwobrwyo gan y smyglwyr. Yn ôl Syr William Musgrave, Comisiynydd y Tollau:

> They never ride out except on their own private business and they fabricate their journals. Some of them are agents and collectors for the smugglers and they are not resolute enough to prove any serious obstacle to large bodies of armed smugglers.

Byddai gan Wasanaeth y Cyllid arolygwyr yn y porthladdoedd hefyd, sef *landwaiters* a fyddai'n archwilio'r nwyddau tramor yn cael eu dadlwytho; *coastwaiter* a fyddai'n archwilio'r nwyddau a gâi eu cludo o borthladdoedd eraill Prydain; a chychwyr neu *tidewaiters* a oedd yn cynnwys y *tidesurveyor* a fyddai a chwch ganddo ar gyfer ymweld â phob llong fel yr oeddent yn cyrraedd y porthladd, a'r *tidesmen* a gâi eu rhoi ar bob llong i arolygu'r dadlwytho. Ond nid oedd y swyddogion hyn yn rhyw effeithiol iawn bob tro. Disgrifiad Lewis Morris o'r *coastwaiters* ym Môn, ganol y ddeunawfed ganrif, oedd: *'Two Fools, one Rogue, one Bully and one Numbskull.'*

Fodd bynnag, nid oedd y gwaith yn hawdd bob tro. Ceir adroddiad am Foulk Jones, *coastwaiter* yn Amlwch, a dau gychwr yn mynd at *cutter* fawr *'. . . in the King's Boat . . . & were ordered to keep off or they wo'd fire upon them'*.

Nid châi pawb ymuno â gwŷr y tollau a cheid cyfyngiadau ar beth y gallent ei wneud. Ni chaent wahodd eu gwragedd na'u ffrindiau ar fwrdd llong na derbyn anrheg na ffafr gan gapten neu fêt llong, ac roedd yn rhaid i unrhyw gannwyll a ddefnyddid o dan y dec fod mewn lantern. Hynny yw, byddai'n rhy hawdd i'r smyglwyr ddiffodd fflam noeth ac ni fyddai gan y swyddog lawer o siawns wedyn. Hefyd, byddai'n rhaid i bawb a ymunai â'r gwasanaeth dyngu llw o ffyddlondeb o flaen ynad heddwch. Sonia Lewis a William Morris yn eu llythyrau am fynd i'r Llys Chwarter ym Miwmares i dyngu llw o ffyddlondeb i'r brenin a chael tystysgrifau i brofi hynny wedi eu harwyddo gan ddau ynad heddwch. Ni châi'r *tidewaiters* weithredu fel masnachwyr, broceriaid na thafarnwyr, na chwaith fynd i unrhyw gyfarfod gwleidyddol. Byddai'n rhaid hefyd i ddau ŵr cyfrifol fod yn dyst i'w cymeriad da cyn y caent gymryd y swydd.

Rhag ofn i swyddogion y Cyllid fod yn rhy gyfeillgar â'r trigolion, ni fyddid yn penodi pobl leol i'r swyddi fel arfer, a byddent yn cael eu symud o un ardal i'r llall yn weddol aml rhag magu gwreiddiau. Yn 1826 cofnodwyd mai dynion o dde Lloegr oedd y rhan fwyaf o'r swyddogion a geisiai atal smyglo yng Ngheinewydd ar y pryd. Deuai un ohonynt o Ddinbych-y-pysgod ac roedd rhai hyd yn oed o Iwerddon. Yn amlwg, nid oedd hynny'n dderbyniol i'r gymuned leol ac mae'r ffaith mai prin iawn oedd y swyddogion a allai siarad Cymraeg yn ei gwneud yn anodd iawn iddynt fod yn effeithiol yn eu gwaith.

Ond pwy bynnag oedd y swyddogion, a pha mor dynn bynnag oedd eu hamodau cyflogi, ni ellid dibynnu'n llwyr ar eu gonestrwydd bob tro. Yn 1744, anfonodd Robert Wynne, Bodysgallen, lythyr at sgweiar Boduan, sef yr aelod seneddol dros y bwrdeistrefi, yn gofyn am ei gymorth i gael penodi rhywun cymeradwy ganddo yn gychwr i dolldy Conwy, yn hytrach na rhywun a alwai yn 'pimp' i Mrs Holland Conway: *'I need not tell you how serviceable it will be to me to have a ready, willing fellow upon the King's boat upon this troublesome river.'*

Un swyddog Cyllid nad oedd yn hollol onest oedd Owen Owens, a ddechreuodd weithio yn ardal afon Glaslyn ac afon Dwyryd yn 1745. Bu yno am ddeunaw mlynedd heb ddal fawr o neb. O'r diwedd cynghorodd yr awdurdodau ef i wneud rhywbeth ac yn fuan wedyn, yn 1763, daliodd y *Speedwell*, cwch agored 18 tunnell o aber afon Dyfrdwy a oedd yn smyglo brandi a jin o Ynys Manaw. Ond achwynodd y capten fod Owens wedi bod yn cydweithio efo'r smyglwyr ar hyd yr amser! O ganlyniad collodd Owens ei swydd ac fe'i carcharwyd am ddwy flynedd.

Nid bod ym mhoced y smyglwyr oedd unig broblem dynion y Cyllid. Roedd gweld cymaint o alcohol yn demtasiwn fawr i rai, yn enwedig Robert Thomas, swyddog ym Môn, a oedd yn feddw wedi *'piercing a puncheon of rum on board the Perky from Antiqua'*, a thro arall yn *'intoxicated with Liquor'* ar y *Lovely Match* ac yn *'Commonly Disguis'd in Liquor and very incapable to take care of the trust reposed in him'*.

Ond, er tegwch, ychydig iawn o adnoddau oedd gan y swyddogion tollau ac roedd yn rhy hawdd yn aml iawn i'r smyglwyr gael y gorau arnynt. Ceir enghraifft o Newhaven ym mis Mehefin 1733 pan geisiodd dynion y Cyllid gipio deg ceffyl yn cario te, ond am fod deg ar hugain o smyglwyr arfog doedd gan y swyddogion fawr o obaith a chawsant eu cymryd yn garcharorion nes bod y nwyddau wedi cael eu cludo o'r ardal.

Bu achos tebyg ym mis Gorffennaf 1735 ger Arundel. Yno roedd y smyglwyr yn gwybod fod dynion y Cyllid yn eu gwylio ac am nad oedd arnynt fawr o awydd mynd oddi yno heb ddadlwytho'u nwyddau, dyma gipio'r swyddogion a'u cadw'n gaeth nes gorffen dod â'r nwyddau i'r lan.

Digwyddodd achos tebyg ym Mhwllheli yn 1791. Pan aeth swyddogion, tollau ar fwrdd llong i archwilio ei chargo carcharwyd nhw yn y caban am bum awr, oedd yn ddigon o amser i'r criw ddadlwytho'r tybaco a jin ar ei bwrdd. Erbyn i ddynion y Cyllid gael eu rhyddhau roedd y prynwyr a'u troliau wedi hen fynd.

## Talu am wybodaeth

Dull arall gan y Cyllid i geisio dal y smyglwyr oedd talu am wybodaeth. Roedd deddf gwlad yn caniatáu talu hyd at £50 am wybodaeth a fyddai'n arwain at gipio nwyddau a chael dau neu ragor o'r smyglwyr yn euog, a £500 am wybodaeth am droseddau difrifol lle'r oedd dynion y tollau wedi eu hanafu neu eu lladd. Ond ychydig iawn a fentrodd roi tystiolaeth yn erbyn y smyglwyr. Er hynny, cafwyd achos yn 1766 pan gipiwyd pedair cist yn cynnwys dros 300 pwys o de o daflod cartref Dr G Frances Lloyd, gŵr bonheddig a ddaeth yn ddiweddarach yn siryf Môn. Roedd wedi talu gini y gist am y te ond cafodd ei ddal wedi i rywun roi gwybod i'r dynion tollau amdano a derbyn *'one guinea each chest with a promise his name sho'd not be mentioned'*.

Nid hwn oedd yr unig achos o'i fath. Cafodd y smyglwr John Jones ddedfryd o garchar am iddo roi gwybodaeth i swyddogion y Cyllid. Ond wedi iddo sgwennu llythyr hir, ymgreiniol, yn nodi fel yr oedd o'n llwgu yn y carchar a bod ei wraig a'i blant yn gorfod begera i gael ychydig o fara iddo, cafodd ei ryddhau o garchar Caernarfon ar yr amod ei fod yn gwasanaethu ar y *Pelham*, sef *cutter* y Cyllid.

## Smyglo a'r gyfraith

Pasiwyd deddf yn 1745 yn caniatáu i berchennog unrhyw long a ddaliwyd yn loetran o fewn pum milltir i'r arfordir, neu yn aber afon ble gellid hwylio llongau arni, gael ei lusgo gerbron ynadon ac os nad oedd ganddo reswm digonol i fod yno, câi ei yrru i garchar am fis o lafur caled. O 1746 ymlaen byddai unrhyw un a fyddai wedi anafu neu ladd un o ddynion y tollau yn cael ei ddedfrydu i farwolaeth, a phe byddent yn cael eu dal yn smyglo, rhoddid y dewis iddynt o dalu dirwy, mynd i garchar neu ymuno â'r llynges.

Cosbid yr awdurdodau lleol hefyd. Er enghraifft, byddai'r sir yn cael dirwy o £200 pe byddai nwyddau anghyfreithlon yn cael eu canfod yno. Pe byddai aelod o'r Cyllid yn cael ei guro gan smyglwyr byddai'n rhaid i'r sir dalu £40, a phe'i lleddid byddai'n rhaid talu £100. Ond pe byddai'r smyglwr yn cael ei ddal o fewn chwech mis ni fyddai'n rhaid i'r sir dalu'r ddirwy.

Ond nid y smyglwyr oedd yr unig rai i gael eu hunain o flaen llys. Mae sawl enghraifft o ddynion tollau yn gorfod wynebu achos llys wedi iddynt ladd neu anafu smyglwr wrth gyflawni eu dyletswyddau. Dywedodd un aelod seneddol mewn dadl yn Nhŷ'r Cyffredin yn 1736:

'Mewn rhai rhannau o'r siroedd arfordirol mae'r bobl i gyd yn cymryd rhan mewn smyglo fel ei bod yn amhosib penodi rheithgor fydd, mewn achos llys, yn gwneud cyfiawnder â swyddog y Cyllid . . . Yn y siroedd hyn . . . mae mwyafrif ymchwiliadau cwest y crwner yn cynnwys smyglwyr, fel y canfuwyd o brofiad bod y cwestau hyn wastad yn cael y swyddog a'i gynorthwywyr yn euog o lofruddiaeth . . . er ei bod yn amlwg mai amddiffyn eu hunain yr oeddent.'

Cafwyd achos o'r fath yng Nghaernarfon ym mis Gorffennaf 1783 pan ddaliwyd slŵp fechan a oedd yn smyglo i'r Fenai. Yn y sgarmes lladdwyd un smyglwr ac anafwyd un o ddynion y Cyllid. Cadwyd y smyglwyr yng ngharchar Caernarfon dros nos, ond cymaint oedd y cydymdeimlad â nhw yn y dre nes y'u gollyngwyd yn rhydd gan yr ynadon yn y bore. Daeth y smyglwyr ag achos llys am lofruddiaeth yn erbyn y Cyllid, ond yn aflwyddiannus.

Caed cyfyngiadau eraill hefyd ar ddynion y Cyllid wrth iddynt wneud eu gwaith. Pe bydden nhw'n atal llong ac yn methu canfod nwyddau anghyfreithlon arni, gallai'r perchennog hawlio iawndal – er, yn fwy na thebyg, bod y nwyddau newydd gael eu taflu dros yr ochr i'r dŵr, ac ni fyddai'n gwneud lles i yrfa unrhyw swyddog o erlid llong i ddim diben. Hefyd, doedd gan y Cyllid ddim hawl i atal llong y tu allan i 'ddyfroedd Prydain', a dyna oedd amddiffyniad sawl smyglwr. Felly roedd yn rhaid i'r Cyllid fod yn ofalus iawn i nodi'n union ble'r oedden nhw wedi atal y llong. Dyma ran o gyfarwyddyd i gapteiniaid llongau'r Cyllid yn 1832:

> Pan gipir llong, dylai'r swyddog gymryd gofal arbennig ei fod yn nodi'r dyfnder ar ei union ynghyd â'r pellter o'r tir i ddau bwynt ar y lan ar yr union amser y cafodd y llong ei chipio a hynny gan ddau neu ragor o swyddogion . . .

## Iawndal

Hyd at 1808, doedd dim iawndal i'w gael os oedd y swyddogion yn cael eu hanafu neu eu lladd. O'r flwyddyn honno ymlaen, talwyd pensiwn o £10 y flwyddyn i unrhyw aelod o'r gwasanaeth tollau a gollai fraich neu goes; byddai'r Goron hefyd yn talu am unrhyw lawdriniaethau, a byddai gweddwon a phlant amddifaid yn derbyn pensiwn pe byddai gŵr neu dad yn cael ei ladd.

Cyn hynny, gallai canlyniadau'r anafiadau fod yn drychinebus. Wrth fyrddio llong yn ne Lloegr gafaelodd un swyddog Cyllid yn y reilen er mwyn tynnu ei hun i fyny, ond tarodd un o'r smyglwyr ei ddwylo efo cytlas a thorri ei fysedd nes y disgynnodd y swyddog druan ar ei gefn i'r môr. Yn y dyddiau hynny, cyn i'r pensiwn ddod i rym, fe fyddai'n anodd iawn iddo wedyn wneud unrhyw fath o fywoliaeth iddo ef a'i deulu.

Ar un adeg, rhoddwyd caniatâd i longau preifat fynd ar ôl smyglwyr, a phe byddent yn llwyddo i'w dal, caent gadw unrhyw nwyddau y byddent yn eu cipio. Serch hynny roedd yn rhaid iddynt roi sicrwydd i Gomisiynwyr y Tollau mai dim ond llongau smyglwyr y byddent yn ymosod arnynt ac nid llongau masnach cyfreithlon – neu ni fyddent hwythau'n ddim llai na môr-ladron! Ond, mewn gwirionedd, roedd llawer o'r bobl hyn yn smyglwyr eu hunain a oedd yn manteisio ar esgus i ymosod ar eu cystadleuwyr!

Yn 1822 daeth diwedd ar y drefn breifat hon o geisio atal smyglo a sefydlwyd Gwasanaeth Gwylwyr y Glannau sy'n dal mewn bodolaeth heddiw. Roedd swyddogion y gwasanaeth newydd hwn yn gyfuniad o gyn-aelodau o'r Llynges, cyn-aelodau o'r cafalri yn cael gwaith fel swyddogion marchogaeth ac eraill heb brofiad milwrol. Roedd llawer gwell trefn ar longau'r Cyllid wedi hyn yn ogystal. Yn hytrach nag aros yn y llongau dros nos, un ai ar y môr neu mewn porthladd, byddai'r gwylwyr yn rhwyfo o gwmpas y traethau a'r cilfachau mewn cychod bach. Hefyd, byddai gwarchodwyr y

glannau ar y clogwyni yn chwilio am longau'r smyglwyr
– pob un â'i fwsged, ysbienddrych a stôl ful, sef stôl un
goes (dywedir y byddai'r gwyliwr yn disgyn drosodd pe
byddai'n syrthio i gysgu ar hon!). Talwyd gwell cyflog
iddynt hefyd, yn ogystal â gwobr o £20 am bob smyglwr
a fyddai'n cael ei ddal.

## William Gambold

Un o swyddogion mwyaf beiddgar a llwyddiannus y
Cyllid oedd Capten William Gambold a'i long y *Pelham
Cutter* a warchodai arfordir Môn a gogledd-ddwyrain
Cymru. Cymaint oedd ar y smyglwyr ei ofn, fel y
dywedodd Casglwr Biwmares: ' . . . *several of the present
set of smugglers have declared that if they meet with the Pelham
Cutter, they will sink her, and threaten the Land Officers very
much.*' Ateb y Cyllid oedd cael llong fwy i Gapten
Gambold a fyddai'r un mor gyflym â rhai'r smyglwyr.
Gweithiai Gambold o Fiwmares yn bennaf a'i ddull
arferol o ddal y smyglwyr fyddai gyrru un o'r ddau gwch
oedd ar y *Pelham 'with 10 or 11 hands, and surprise them in
the night when they are going to land their cargo'*. Gweithiai
hynny'n dda i gipio llongau bychain ond cwynai'n aml i'r
awdurdodau am ddiffyg adnoddau i wneud ei waith yn
effeithiol yn erbyn llongau mwy.

Ar adegau eraill dibynnai ar gyflymder y *Pelham* i
erlid smyglwyr yng ngolau dydd. Er enghraifft, ym mis
Mai 1765 pan welodd long a'i hwyliau i lawr o fewn dwy
lîg i Ynysodd y Moelrhoniaid oddi ar ogledd Môn, fe
benderfynodd ei herlid. Cododd y smyglwr ei hwyliau a

chyfeirio am Ynys Manaw ond wedi teirawr o ymlid, llwyddodd y *Pelham* i'w dal a chanfod 30 casgennaid o frandi, dwy gasgen win, 846 pwys o de, 224 pwys o licris a 40 pwys o dybaco ar ei bwrdd.

Yn naturiol, byddai derbyn gwybodaeth am symudiadau'r *Pelham* yn werthfawr iawn i'r smyglwyr, ac yn arbennig wybodaeth am yr adegau prin pan gyfyngid hi i'r lan i'w hadnewyddu. Bryd hynny byddai'r smyglwyr yn brysurach nag arfer a thacteg Gambold yn wahanol. *'During the time the Cutter was under Repairs we sent both her Boats along the coast, with the Commander in one and the Mate in the other.'*

Câi Gambold a'i griw gyfran o werth unrhyw gargo a fyddai'n cael ei gipio. Er enghraifft, cawsant 10 swllt y dunnell am gargo'r *William & Mary* a oedd yn rhedeg brandi o Ynys Manaw yn 1765. Weithiau byddai ffraeo rhwng *cutters* y Cyllid a fyddai'n gweithio yn yr ardal. Yn 1763 gofynnodd Capten Robertson o'r *Lord Howe* am ddyfarniad gan Gomisiynwr Biwmares ynglŷn â hawl Gambold a'i griw i gyfran o'r elw pan oedd y *Lord Howe* yn gyfrifol am y byrddio.

Ar adegau eraill roedd cydweithredu yn hanfodol. Pan welwyd llong smyglo adnabyddus yn hwylio rhwng Môn a'r Gogarth aeth y *Pelham*, dan Gambold, a'r *Hornet*, dan y Rhingyll Cross, ar ei hôl ond dirywiodd y tywydd a chollwyd y trywydd. Pan ddychwelodd yr *Hornet* i Fiwmares a'r *Pelham* i Gaergybi, daeth y newyddion fod y smyglwr wedi'u twyllo a'i fod eisoes wedi dadlwytho'i nwyddau i asiant yn Amlwch.

# Morrisiaid Môn

Mae'n debyg mai rhai o arolygwyr tollau enwocaf Cymru oedd dau o Forrisiaid Môn, Lewis a William Morris. Roeddent yn llythyrwyr o fri ac yn gymwynaswyr mawr i lên ac ysgolheictod Cymreig eu cyfnod.

Penodwyd Lewis Morris (1705-63) yn swyddog tollau yng Nghaergybi a Biwmares ym mis Gorffennaf 1729, swydd a ddaliodd tan Fawrth 1743 pan y'i olynwyd gan ei frawd yng nghyfraith Owen Davies. Roedd dirprwy gynullwr, archwiliwr, arolygwr a phedwar cychwr yn gyd-weithwyr i Lewis. Lluniodd Richard, ei frawd, englyn iddo tua 1731:

### I Lewis Morris y Swyddog, am iddo ddwyn Sebon y Smuglers

Lewys, ŵr cofus, ai cyfion – iti
Atal da'r tylodion?
Syber yw'r lleidr sebon
Nythu mae yn eitha' Môn.

Atebodd Lewis Morris fod y dreth yn 'gyfion . . . i gynnal ein gwledydd'. Yn 1736 mae cofnod iddo gipio 49 galwyn o frandi a oedd yn cael ei fewnforio'n anghyfreithlon ar yr *Anne & Deborah*. Rhwng 1737 ac 1744 cafodd Lewis gomisiwn i wneud map manwl o'r arfordir, o'r Gogarth i Aberdaugleddau. Roedd angen map o'r fath i helpu llongau'r Cyllid i ddod i adnabod pob cilfach ar hyd yr arfordir yn eu hymgais i atal smyglo.

*Cofeb y Morrisiaid, Pentre Eirianell, Môn.*

Cafodd brawd Lewis, William Morris, ei benodi'n Ddirprwy Gyfarchwyliwr Tollau yng Nghaergybi ym Mawrth 1737 ac yn aml arwyddai ei lythyrau i'w frodyr fel a ganlyn: 'Eich caredigawl frawd, Gwilym Gontrowliwr'. Câi £20 y flwyddyn o gyflog a gallai ychwanegu ato gyda'r ffioedd a hawl ar nwyddau. Disgrifia ei waith fel 'cath lwyd yn gwylio cannoedd o dyllau llygod ar yr un pryd'. Mewn un llythyr fe noda i'r arolygwr dderbyn ' . . . echdoe well na £21 iw ran ei hun am un seizure o ffuneni Sir Sidan, a dacw eiddo yn gryf yn y dollfa . . . y rhai a ddygant o ddeutu [£]30 neu 40 'chwaneg gobeithio . . . '. Mewn llythyr at ei frawd Lewis, dyddiedig Hydref 1760, dywed: 'Rhaid myned i'r Customs House i bwyso ac i fesur seizures i'w dodi yng nghriwser Gambwll i fyned i Biwmares ac oddi yno rydd a'r India goods i Lundain.'

Mae'n sôn am werthu nwyddau sydd wedi cael eu cipio ac am Gapten Morgan a chanddo 'lonaid bocys mawr o dea a sêsiodd o er's llawer dydd ac a brynodd wedi yn y dollfa'. Gwyddai'n iawn fod bonedd yr ynys yn manteisio ar y smyglwyr a'u bod wedi dod yn *den of runners, the gentry turned smugglers,'* ys dywed mewn llythyr at ei frawd Richard.

Faint o obaith oedd gan ddynion y Cyllid a'r milwyr i atal y smyglwyr? Fawr ddim mewn gwirionedd, oherwydd dywedir fod deng gwaith mwy o smyglwyr na'r rhai oedd yn ceisio cadw'r gyfraith – ar wahân i'r miloedd a oedd yn manteisio ar y fasnach anghyfreithlon. Yn wyneb amhoblogrwydd cyffredinol y tollau ar fewnforion roedd yn anodd iawn i Wasanaeth y Cyllid fod yn effeithiol. Ychydig o gefnogaeth a gaent, a byddai eu symudiadau yn siŵr o gyrraedd clustiau'r smyglwyr a'u cynorthwywyr ar y lan.

Nid oedd fawr o ysgogiad chwaith i ddynion y Cyllid beryglu eu bywydau yn ceisio dal y smyglwyr. Enghraifft weddol brin felly oedd yr achos yn 1795, pan lwyddodd y swyddog tollau George Beynon gyda chriw o filwyr i ymosod ar smyglwyr ar draeth Rhosili a'u trechu a'u gyrru oddi yno. Llwyddwyd i gipio can casgen o wirod a gwin da.

Yn sicr, cafwyd achosion o swyddogion y Cyllid a wnaeth enw iddynt eu hunain, yn ogystal â llawer o arian fel eu cyfran o werth y nwyddau y llwyddwyd i'w cipio. Roedd sawl un o gapteiniaid *cutters* y Cyllid hefyd am wneud eu marc gyda golwg ar swydd well yn y llynges yn ddiweddarach.

Beth bynnag, dewis llawer o rai eraill oedd oes hir, ddidrafferth a digyffro – yn gwneud yr hyn oedd raid, ond heb fod yn rhy frwdfrydig. Roedd amryw o swyddogion y Cyllid yn wŷr addysgedig a diwylliedig ac nid yw'n rhyfeddod fod rhai ohonynt wedi dod i fwy o amlygrwydd mewn meysydd eraill yn hytrach nag yn eu gwaith. Un o'r rhain oedd y bardd toreithiog o Albanwr, Robert Burns a oedd yn swyddog yn ne'r Alban, tra yng Nghymru ceid y brodyr Lewis a William Morris ynghyd ag aelodau eraill o deulu enwog Morrisiaid Môn. Tybed a fyddai Burns a'r Morrisiaid wedi bod mor gynhyrchiol ac adnabyddus i ni heddiw petaent wedi bod yn fwy uchelgeisiol yn eu swyddi?

# Smyglo yng Nghymru

Roedd patrwm smyglo yn wahanol rhwng gogledd a de Cymru. Tra deuai nwyddau i'r gogledd o Iwerddon ac Ynys Manaw, o Ynysoedd y Sianel a Ffrainc y deuai llawer o'r nwyddau i'r de – a hyd yn oed ymhellach. Roedd gan y de ddwy fantais fawr – roedd yn agos i Fryste, y prif borthladd ym Mhrydain ar gyfer masnach â'r Byd Newydd, ac roedd poblogaeth sylweddol yn byw yn yr ardal a oedd yn awyddus i gael nwyddau heb orfod talu trethi arnynt. Mater bach oedd trosglwyddo o leiaf ran o'r cargo i gychod llai wrth hwylio i fyny aber Hafren ac wedyn dweud eu bod wedi colli rhan o'r cargo mewn storm. Hefyd, yn aml, byddai modd llwgrwobrwyo swyddogion nid yn unig ym Mryste ond hefyd ym mhorthladdoedd bychain Cymru.

Byddai llongau o Ffrainc, hefyd, yn dadlwytho i longau llai yn sianel Hafren, yn enwedig i longau a fyddai'n cario glo a chalch o dde Cymru i dde-orllewin Lloegr. Yn 1718 gyrrodd casglwr trethi Abertawe lythyr i'r Bwrdd Tollau yn eu hysbysu eu bod wedi gweld *'between Clovelly Roads and the island of Lundy two French*

83

*ships laden with wine and brandy and other goods'* a bod *'A great clandestine trade is carried on in that Channel between the smuggling vessels and the vessels employed in carrying limestone from that part of Wales into Devonshire'*.

Yn 1681-2 gwnaed arolwg o borthladdoedd gorllewin Prydain, o Poole yn Dorset i Abertawe. Canfuwyd nad oedd raid i smyglwyr drafferthu dod â'u nwyddau i'r lan mewn cilfachau diarffordd oherwydd nad oedd swyddogion y tollau yn y porthladdoedd yn gwneud eu gwaith beth bynnag. Roedd pob un, meddai'r adroddiad, yn debyg i gychwr y tollau yn Abertawe:

'henwr cyfrwys na wnaiff ddim am ei gyflog; mae ganddo gwch ond dim rhwyfau, a chyfaddefodd, pan oedd ganddo rwyfau nad âi byth allan i'r bae'.

Deuai llawer o'r nwyddau anghyfreithlon o Ynysoedd y Sianel, a hwyliai o leiaf un smyglwr o Guernsey, sef Richard Robinson, longau yn gyson i arfordir Morgannwg yn ystod y 1730au. Roedd ef ei hun yn gapten ar y mwyaf o'r rhain ac roedd un arall yng ngofal ei fab Pasco. Arferent ddod â nwyddau i Ynys Echni *(Flat Holm)* i ddechrau ac oddi yno, pan oedd yn gyfleus, eu cludo i Forgannwg a Gwent. Byddai nwyddau o'r cyfandir yn cael eu dadlwytho ar Ynys Wair *(Lundy)*, Ynys Bŷr, Ynys Sgomer ac Ynys Sgogwm hefyd cyn cael eu trosglwyddo'n ddiweddarach i lannau Cymru.

# Ynys Wair

Ym mis Tachwedd 1781 adroddodd y swyddog Peter Fosse i'r Bwrdd Tollau:

> We think it our duty to inform you that we have received intelligence from undoubted authority, that large quantities of tea and brandy are frequently discharged out of armed smugglers from France and lodged on the island of Lundy till opportunities offer for putting the same on board pilot boats belonging to this port [Ilfracombe], and land the said goods on the coasts of Cornwall, Devon, Somerset and Wales.

Roedd Ynys Wair yn aber Hafren yn lle pwysig iawn ar gyfer smyglo. Dywedodd casglwr trethi Caerdydd yn y ddeunawfed ganrif: 'Never there lived yet a man on the island of Lundy who was not connected with smuggling'. Disgrifiwyd Ynys Wair fel: 'encircled with inaccessible rocks, so that it cannot be assaulted . . . so precipitous . . . that one man well armed may repel and keep down many . . .' Byddai llongau mawrion yn galw yno o Ffrainc ac Ynysoedd y Sianel i adael nwyddau a fyddai wedyn yn cael eu trosglwyddo i longau llai ar gyfer eu cludo i orllewin Lloegr a de Cymru.

Dechreuwyd defnyddio'r ynys ar gyfer y fasnach anghyfreithlon pan gafodd John Score brydles ar yr ynys yn 1721. Unwaith yn unig y llwyddodd dynion y tollau i gipio nwyddau yn y cyfnod y bu Score yno, a hynny'n bennaf gan fod modd eu gweld yn dod o bell ac wedi iddynt gyrraedd roedd clogwyni uchel yn gwarchod llawer o'r ynys.

Daeth smyglo i ben am gyfnod wedi i Score adael tua 1729, ond ail-ddechreuodd unwaith eto yn 1743 pan drodd Thomas Benson yr ynys yn ganolfan gadarn i smyglwyr. Roedd gan Benson fflyd o ddwsin o longau ac roedd yn masnachu ag America a Môr y Canoldir gan ddod â thybaco a gwin i'r ynys. Byddai'r nwyddau'n cael eu dadlwytho'n gyntaf ym mhorthladdoedd gorllewin Lloegr ond yna fe fyddai'n mynnu nad ar gyfer defnydd ym Mhrydain yr oeddent ond ar gyfer eu hailallforio i wledydd eraill. O'r herwydd, nid oedd trethi i'w talu.

Roedd Benson yn ddyn dylanwadol iawn, yn fasnachwr llwyddiannus, yn Sirydd Sir Dyfnaint ac yn ddiweddarach yn aelod seneddol dros Barnstable. Defnyddiodd ei gysylltiadau i ennill cytundeb i drosglwyddo carcharorion i Virginia a Maryland, a hynny am £20 y pen. Ond nid i'r America y byddai'r carcharorion yn mynd ond i Ynys Wair i gael eu defnyddio fel llafur rhad i addasu ogofâu yn stordai (mae un yn dal i arddel yr enw *Benson's Cave* hyd heddiw) ac i bacio'r tybaco yn becynnau bychain cyfleus i'w smyglo i dde Cymru a gorllewin Lloegr. Ond er yr holl arian a wnâi Benson, roedd yn parhau mewn dyled – cymaint â £8,229 o ddollau i'r Goron am y rhan o'i fusnes a oedd yn gyfreithlon, ond y rhan fwyaf am ei fod wedi talu cymaint o arian i lwgrwobrwyo unigolion mewn safleoedd uchel.

Ond cafodd syniad. Yn 1751 dywedodd ei fod yn mynd â llwyth o dybaco o warws yn Barnstable i Morlaix yn Llydaw. Gadawodd ei long, y *Vine*, y porthladd am Aberdaugleddau. Yno, dywedodd y capten ei fod yn mynd i Ffrainc ond chwe diwrnod yn ddiweddarach cyrhaeddodd Borth Tywyn a'r llong yn wag. Ni allai'r llong fyth fod wedi teithio i Lydaw ac yn ôl mewn cyn lleied o amser.

Roedd dynion y tollau'n amau'n gryf fod y tybaco wedi ei adael ar Ynys Wair ac aeth pedwar swyddog o Barnstable yno, ond yn y cyfamser mae'n debyg fod Benson wedi deall eu bod ar eu ffordd oherwydd roedd y dynion a'r tybaco wedi diflannu erbyn i'r swyddogion gyrraedd. Serch hynny, roedd digon o olion yno i ddangos beth oedd wedi bod yn digwydd! Cipiwyd sawl llong yn ddiweddarach a thybaco anghyfreithlon arnynt a'r amheuaeth oedd mai o Ynys Wair y deuent. Methodd Benson â chlirio'i ddyledion – er ei fod wedi ceisio hawlio yswiriant ar long yr oedd wedi ei suddo'n fwriadol – a ffodd i Bortiwgal.

Yn 1785 daeth yr ynys yn ganolfan smyglo i'r Cymro Thomas Knight wedi iddo gael ei hel o'i bencadlys ar Ynys y Barri. Defnyddiai Knight *wherry* i drosglwyddo nwyddau oddi yno i lannau Cymru a de-orllewin Lloegr.

## Gwent a Morgannwg

Nid ynysoedd yn unig oedd yn cael eu defnyddio i lanio nwyddau anghyfreithlon. Roedd aber sawl afon hefyd yn addas, gan fod ynddynt lanw a cherrynt cryf ac roedd yn rhaid cael gwybodaeth leol i'w defnyddio'n ddiogel. Roedd aberoedd afonydd Wysg, Rhymni, Taf ac Elai yn lanfeydd cyfleus gyda digon o fân sianelau i dwyllo dynion y Cyllid.

Roedd Aberddawan hefyd yn boblogaidd gan

smyglwyr, oherwydd pe byddai swyddogion y Cyllid yn ceisio'u dal ar un ochr i afon Ddawan, roedd yn ddigon hawdd rhwyfo ar draws i'r ochr arall! Doedd hi ddim yn bosib i ddynion y Cyllid eu dilyn gan nad oedd ganddynt gychod – fel y cwynodd un swyddog wrth ei benaethiaid yn Llundain:

> At Aberthaw and Barry when any boat goes out to em from thence, the Owners of em have always a Spye on the officer; and when they find him on one side of the River of Aberthaw, they'll land what they have on the other; and by raeson theer's no Boat in the Service, not any boat on those acco'ts to be had for love or money, and the Officer obliged to go to a bridge about two Miles round, they have time wnough to secure the goods before he can get there . . . there is instances that they have run'd goods in the day time before the officers face in this Manner. At Barry tis the same; if they find the officer on the Iseland, and the officers can't get over till the Tide is out, wich may be five or six hours . . .

Dywed hefyd bod digon o fannau i guddio'r nwyddau ar yr ynys. Mewn gwirionedd, ychydig iawn o obaith oedd gan swyddogion y Cyllid yn yr ardal hon gan fod yr adnoddau a oedd ganddynt mor wael. Boddwyd dau swyddog wrth ddychwelyd o Ynys Echni ac Ynys Rhonech *(Steep Holm)* ar ôl bod yn eu harchwilio, ac yn 1773 gwrthododd y swyddogion fynd allan i Ynys Echni mewn tywydd drwg oherwydd bod cyflwr eu cychod mor wael.

Cododd masnachwr o'r enw Thomas Spencer adeilad caerog o gwmpas Marsh House, Aberddawan ar gyfer cadw tybaco a nwyddau anghyfreithlon eraill. Fe'u cadwai yno nes y byddai pris y farchnad ar ei uchaf a gwnâi elw sylweddol wedyn. Yn 1750, cymaint oedd y smyglo fel y galwodd yr awdurdodau am wasanaeth llong arfog i ddelio â'r smyglwyr a oedd yn gweithredu rhwng Sili ac Aberddawan, gydag Ynys y Barri yn bencadlys iddynt.

Yn y 1780au aeth pethau'n anoddach i'r awdurdodau pan sefydlodd y smyglwyr enwog Thomas Knight ei hun ar yr ynys. Roedd ganddo 'lynges o longau smyglo' a 60-70 o ŵyr arfog i amddiffyn ei fusnes. Cawsai'r gwasanaeth tollau drafferth mawr yn recriwtio swyddogion i'r ardal hon, cymaint oedd eu hofn o Knight a'i ddynion oedd yn barod iawn i saethu arnynt ac ar longau'r Cyllid.

Yn 1772 cafodd y *Two Sisters* ei dal yn dadlwytho tybaco a rym ar draeth Aberddawan. Ceisiodd y capten, Edward Michael, lwgrwobrwyo dyn y tollau gyda jar o rym ond yn aflwyddiannus. Yn 1790 cafodd yr *Adventure*, hefyd o orllewin Lloegr, ei dal yng Nghasnewydd yn dadlwytho chwe chasgen o rym a deg pecyn o dybaco a hynny yn aber afon Ebwy. Roedd y capten a'r perchennog, John Thetone, wedi cuddio'r nwyddau mewn cuddfannau arbennig yng nghorff y llong.

Dywedir y byddai smyglwyr yn defnyddio afon Ogwr i ddod â nwyddau anghyfreithlon i Ben-y-bont ar Ogwr hefyd, ac fel y dywedodd un o ddynion y tollau: '*here is a very convenient Bay for small vessels, and I find very great Quantitys of tea is Run here . . .*' Dywedir mai cryddion oedd y rhan fwyaf o smyglwyr yr ardal. Roedd llawer ohonynt yn mynychu'r *New Inn* a arferai fod ger pont a groesai afon Ogwr. Pan ddymchwelwyd y dafarn honno, daethpwyd o hyd i ogof o dan y gegin a honno'n ddigon mawr i gadw cargo llong gyfan. Yn ôl y traddodiad lleol, ymdebygai gardd y dafarn i fynwent gan fod y smyglwyr wedi claddu cynifer o'u gwrthwynebwyr yno!

## Abertawe a Phenrhyn Gŵyr

Roedd Penrhyn Gŵyr yn nodedig am ei smyglo, ac am rai cenedlaethau bu'r fasnach anghyfreithlon dan reolaeth y teulu Lucas o Borth Eynon. Roedd digon o gilfachau, ogofâu a thraethau diarffordd ar y penrhyn ac am fod Abertawe yn un o brif borthladdoedd Cymru ar y pryd, nid yw'n syndod fod yr ardal yn un o ganolfannau smyglo mwyaf y cyfnod. Cawn ein hatgoffa o hynny yn yr enw *'Brandy Cove'* ar y traeth ger Llandeilo Ferwallt.

Cwyn fawr swyddogion y Cyllid oedd nad oedd ganddynt adnoddau i atal y smyglwyr. Yn ôl adroddiad ganddynt yn 1730:

> *The smugglers are grown very insolent and obstruct our officers in the execution of their duty . . . the master and mariners of the ship Galloway . . . came up on deck with pistols and drawn cutlasses and refused them to rummage.*

Gwnâi capteiniaid y llongau a gludai lo o Abertawe yn niwedd y ddeunawfed ganrif yn siŵr eu bod yn cael eu gyrru gan 'wyntoedd cryfion' i Iwerddon lle byddent yn codi halen a sebon, gan ollwng y llwyth di-doll ar draethau Penrhyn Gŵyr.

Un o ddulliau'r smyglwyr o wneud yn siŵr nad oedd

prif swyddog y tollau yn Abertawe yn tarfu arnynt wrth iddynt ddadlwytho yn yr harbwr oedd trefnu ei fod yn cael ei alw'n aelod o'r rheithgor yn y llys lleol. Yn naturiol, tra byddai ef yn ymwneud â'r ddyletswydd honno roedd yn haws i'r smyglwyr ymwneud â'u busnes hwythau. Dengys hyn yn glir y gallai'r smyglwyr ddylanwadu ar haenau uchaf y gymdeithas.

Drwy'r 1780au a'r 1790au, bu sawl achlysur ar arfordir de Cymru pan gafodd llongau'r Cyllid eu difrodi a swyddogion y Cyllid eu hanafu. Roedd yr ardal o amgylch Abertawe yn lle drwg am wrthdaro o'r fath. Ym mis Ionawr 1788, daeth swyddogion a oedd yn chwilio am smyglwr adnabyddus wyneb yn wyneb â thua hanner cant o ddynion wedi'u harfogi â 'bariau haearn, proceri, cyllyll mawrion, chwipiau ac arfau eraill'. Roedd hi felly'n amhosib i'r awdurdodau gyflwyno gwŷs i'r smyglwr a phan ofynnwyd am gymorth milwyr, yr ateb a gafwyd gan y Swyddfa Ryfel oedd: 'Mae sefyllfa'r lluoedd ar hyn o bryd fel na ellir gyrru mintai i Dde Cymru' – ac roedd hyn yn ystod cyfnod o heddwch!

Er hynny, ni châi smyglwyr yr ardal rwydd hynt ac roedd yn rhaid iddynt fod yn ddyfeisgar wrth guddio'u nwyddau. Er enghraifft, cafwyd hyd i guddfan nwyddau di-doll ar wely afon fechan y tu ôl i Hen Reithordy Rhosili a'r unig ffordd o fynd i'r guddfan oedd drwy symud cwrs yr afon yn gyntaf.

Petai swyddogion y Cyllid yn llwyddo i gipio nwyddau anghyfreithlon, nid mater hawdd oedd eu cael i ddiogelwch y tolldy. Ym mis Ebrill 1803 roedd y swyddog Frankie Bevan wedi cipio dros bedwar cant o gasgenni pedwar galwyn o wisgi ym Mhennard ar

Benrhyn Gŵyr. Fe'u llwythwyd i wagenni a'u hebrwng i Abertawe ond ar hyd y daith, roedd tyrfa afreolus o ddau gant o ddynion a merched meddw yn gweiddi ac yn taflu pethau at y swyddogion, er bod hyd at hanner cant o filisia yn eu gwarchod.

Ceir un hanesyn am smyglwyr yn dadlwytho'u cargo ar draeth Oxwich yn 1804. Gan nad oeddent yn sicr lle'r oeddent, rhwyfodd dau o'r criw i'r lan a gofyn cyfarwyddiadau i ddau a oedd yn digwydd cerdded ar y traeth. Cafwyd bod fferm o'r enw Highway yn agos i'r traeth, glaniodd y llong ac erbyn hanner nos roedd y nwyddau di-doll yn ddiogel mewn selerydd ger fferm Highway.

## Caerfyrddin a Phenfro

Byddai aberoedd llydan afonydd Llwchwr, Gwendraeth, Tywi a Thaf yn gyfleus iawn i lanio nwyddau, yn ogystal â thraethau a thwyni Cefn Sidan a Phentywyn. Roedd arfordir Penfro yn frith o gilfachau a thraethau diarffordd oedd hefyd yn ddelfrydol i'r smyglwyr. Ond yma hefyd yr oedd un o brif borthladdoedd Cymru, Aberdaugleddau, lle'r oedd gan Wasanaeth y Cyllid bencadlys.

Ar y cyfan – oherwydd maint yr arfordir a chefnogaeth y trigolion – câi'r smyglwyr rwydd hynt i fasnachu'n anghyfreithlon yn yr ardal ond ambell dro byddai rhai o *cutters* y Cyllid yn llwyddiannus. Er enghraifft, yn 1788, llwyddodd y *Ferret*, a oedd yn gweithio o Aberdaugleddau, i ddal sawl llong ym Môr Hafren. Ymysg y rhain yr oedd y *Four Brothers* ac arni frandi a jin a'r flwyddyn ganlynol daliwyd y *Success* o Gernyw ac arni 1,085 pwys o dybaco a 280 pwys o snisin, a'r rheiny wedi'u pacio'n daclus mewn pledrennau ar gyfer eu suddo'n y môr fel y gellid eu codi gan gychod lleol yn ddiweddarach. Ym mis Chwefror 1789, cipiodd y *Ferret* long y *Polly* o Gaerdydd ac arni bron i 13,000 pwys o dybaco. Ddeufis yn ddiweddarach fe ddaliodd y *Morning Star* o Fryste ac arni 1,557 pwys o dybaco.

Ym Mhenfro, roedd Bae Ceibwr yn lle poblogaidd gan smyglwyr ac yn 1807 cwynodd y ficer lleol am yr holl frandi o Cherbourg a oedd yn cyrraedd yr ardal – a hynny yn ystod y rhyfel rhwng Prydain a Ffrainc. Ar Whitesands Bay, yn yr un flwyddyn, cafodd criw llong smyglo eu harestio gan y *cutter Hope*. Roeddent wrthi'n trosglwyddo'i llwyth o wirodydd i gasgenni llai. Mae'n debyg y byddai'r casgenni gweigion hyn yn cael eu cadw ar y lan yn barod i'w llenwi pan ddeuai llongau i'r ardal.

Roedd Solfach yn enwog am smyglo gyda'r ogofau cyfagos yn ddefnyddiol i lanio nwyddau a llawer o dai'r ardal yn eu cuddio i'r smyglwyr. Dywedir i un o'r swyddogion tollau ddeall bod y canhwyllau ddefnyddid yn y Capel Bedyddwyr lleol wedi eu smyglo. O ganlyniad aeth i'r Capel un gyda'r nos a meddiannu'r canhwyllau, gan adael y gynulleidfa yn y tywyllwch!

Mantais fawr Penfro o ran smyglo oedd ei harfordir creigiog hir yn llawn cilfachau bychain cuddiedig. Roedd de Penfro, gydag Ynys Bŷr nid nepell o'r arfordir, yn gyfleus iawn i lanio nwyddau, fel yr oedd ynysoedd Sgomer a Sgogwm yn y gorllewin ac Ynys Dewi yng ngogledd y sir. Enwyd un ogof ar Benrhyn Dewi yn Ogo Tybaco.

# Ceredigion

Gweddol fechan oedd y fasnach 'swyddogol' drethadwy a aeth drwy borthladdoedd Aberteifi yn y ddeunawfed ganrif – prin ddigon i godi digon o arian treth i dalu am gyflogau swyddogion y Cyllid mewn gwirionedd. Deuai nwyddau tŷ o Fryste a mannau eraill ac allforid ŷd, penwaig (neu sgadan), menyn a llechi yn bennaf. Ond yn adroddiadau Gwasanaeth Cyllid y cyfnod ceir bod smyglo yn yr ardal yn 'ddifrifol':

> . . . is practised daily and is at a very great height all along the Coast, Brandy, Tea, Salt and Sope from the Isle of Man and Ireland and other places are the chief articles . . . and carried mostly in Irish Wherrys

Yn sicr, roedd lleoedd megis aber afon Teifi, Traeth y Mwnt, Aber-porth, Llangrannog, Cwmtudu, Ceinewydd, Cei Bach, Aberaeron, Aber-arth, Llan-non a Llanrhystud yn enwog am smyglo ynghyd â sawl cilfach guddiedig ar hyd yr arfordir.

Oherwydd pwysigrwydd pysgota sgadan, roedd bri mawr ar smyglo halen. Yn dilyn derbyn gwybodaeth gan rywun anhysbys ym mis Awst 1704, roedd John Bevan, *riding officer* o Dywyn Meirionnydd, a saith o'i ddynion wedi dilyn sawl llong a oedd yn dadlwytho halen anghyfreithlon ar hyd arfordir y gorllewin. Pan gyrhaeddasant Geinewydd daethant ar draws tua chant a hanner o bobl gyda dau gant o geffylau yn barod i gludo'r halen o'r llongau. Doedd gan yr wyth dyn Cyllid ddim gobaith yn erbyn mintai mor fawr a phan sylweddolodd y smyglwyr eu bod yno bu'n rhaid i'r swyddogion danio'u gynnau i amddiffyn eu hunain. O ganlyniad cawsant eu harestio gan y cwnstabliaid lleol a gorfu i un o swyddogion Bevan – gŵr â'r enw hynod Remarke Bunwoith – wynebu llys oherwydd ei fod wedi anafu un o'r smyglwyr. Roedd hi'n amlwg fod gan yr ynad lleol, Capten Lewis, gydymdeimlad â'r smyglwyr.

Erbyn y 1720au roedd Aberystwyth wedi dod yn ganolfan adnabyddus am nwyddau anghyfreithlon ond am na chawsai'r Cyllid lawer o lwyddiant yn atal y smyglo bu'n rhaid cynnal pwyllgor ymchwilio arbennig i geisio cael trefn ar y mater. Un tro, pan fu dynion y tollau'n ddigon dewr i fynd ar fwrdd llong yr oeddent yn amau o smyglo, 'daeth gang enfawr o smyglwyr ar y llong liw nos – cymaint â deugain neu hanner cant – a chlymu'r swyddogion yng nghaban y llong, ac yna mynd ati i ddadlwytho'r nwyddau'.

## Aber afon Dyfi a Meirionnydd

Ar un adeg roedd aber afon Dyfi yn llawn prysurdeb llongau a chychod yn cario nwyddau a oedd yn rhan o fasnach y glannau, megis calch, glo, mwynau, llechi ac ati, ac am gyfnod yn niwedd y ddeunawfed ganrif daeth porthladdoedd Aberdyfi a Derwen-las yn bwysig i allforio brethyn a gynhyrchid ym Maldwyn. Ond y tu cefn i'r gweithgarwch hwn ceid masnach arall a oedd yn llawer mwy proffidiol, sef smyglo. Roedd traeth y Borth, twyni Ynys-las a sianelau cymhleth yr afon ar ochr ddeheuol yr aber yn gyfleus iawn i lanio a symud nwyddau di-doll a fyddai'n cael eu cludo'n ddiweddarach i Fachynlleth a threfi gwlân llewyrchus canolbarth a dwyrain Maldwyn.

I'r gogledd o aber afon Dysynni ceir nifer o gilfachau cyfleus megis traeth Felin Fraenan ger Rhoslefain, Llangelynnin a Llwyngwril. Ar draeth Felin Fraenan ceir Carreg Halen lle deuai trigolion y fro i gasglu'r halen. Ceir Craig yr Halen ac Ynys yr Halen yn aber afon Mawddach hefyd.

Nid damwain yw bod canghennau un o lwybrau smyglo enwocaf Cymru – y Ffordd Ddu – yn cychwyn o lecynnau diarffordd ar yr arfordir ac yn cyfeirio heibio i lynnoedd Cregennen, dan lethrau Cader Idris am Ddolgellau.

Ger y Friog, yn ôl cofnod yn nyddiaduron Elizabeth Baker o Ddolgellau yn 1780, bu brwydr rhwng yr is-sirydd Owen Owens a'i swyddogion a David Williams o'r Henddol pan aethant i gasglu dyled o £200 oddi ar Williams am doll ar nwyddau wedi eu smyglo. Yn y gwarchae ar yr Henddol saethwyd Owens a dau o'i feiliaid, ond anafiadau arwynebol oeddent wrth lwc.

Yn ystod y ddeunawfed ganrif roedd y Bermo hefyd yn borthladd prysur, gyda llongau'n mynd â brethyn Dolgellau ar draws y byd. Roedd hynny'n ei dro yn esgus da i longau'r Bermo ymgymryd â masnach gudd a dadlwytho nwyddau anghyfreithlon ar hyd yr arfordir cyn dychwelyd i'r harbwr.

Roedd gan un o gyflenwyr mwyaf y smyglwyr, Andrew Galway, *'Merchant of Nantes, Dublin and Liverpool'*, rwydwaith o redwyr dros Brydain gyfan, gan gynnwys John Jones o'r Bermo a'i long *Catherine*, Maurice Griffiths a'r *Liberty*, Rhys Edwards a'r *Unity* a'r enwocaf ohonynt i gyd, Thomas Jones a'r *Dispatch*. Roedd eu teithiau cyson i America a thir mawr Ewrop yn fodd cyfleus iawn i guddio'r ffaith eu bod, hefyd, yn rhedeg llawer o nwyddau di-doll o Ffrainc, Ynys Manaw, Iwerddon a thu hwnt.

Yn uwch i fyny'r aber dywedwyd bod gan dafarn y George III lawer mwy yn ei selerydd na'r hyn a dalwyd toll arnynt.


## Aber afon Glaslyn ac afon Dwyryd

Roedd y Traeth Mawr a'r Traeth Bach gyda'u holl sianelau a glanfeydd yn ddelfrydol ar gyfer smyglo. Ceir Ogo Smyglars nid nepell o Aberglaslyn ac un arall ar Drwyn y Penrhyn uwchlaw afon Dwyryd.

Roedd dechrau'r ddeunawfed ganrif yn ddyddiau cynnar i ddiwydiant llechi Ffestiniog. Yr arfer oedd dod â'r llechi i lawr o'r mynyddoedd ar gefn ceffylau a throliau i lannau afon Dwyryd yn Nyffryn Maentwrog a'u llwytho i gychod i'w cludo i longau yng ngheg yr aber. Byddai'r cychod llechi ar adegau yn dod â glo a chalch o'r llongau pan fyddent yn dychwelyd i fyny'r afon ac yn aml yn cuddio cyflenwadau o de, siwgr, sebon, halen a gwirodydd yn y cargo. Gallai'r cychod ddewis eu glanfa'n haws na llongau mwy ac, o wybod symudiadau'r dynion tollau, wneud yn siŵr eu bod yn glanio'r ochr arall i'r afon! Dywedir bod un o deulu yr emynydd enwog Edward Stephens ('Tanymarian', 1822-1885) yn ychwanegu at ei incwm fel cariwr llechi drwy werthu sebon wedi ei smyglo.

Digwyddai rhywbeth tebyg yn aber afon Glaslyn, lle'r

oedd gwybodaeth y smyglwyr lleol am gyflwr y Traeth Mawr (cyn adeiladu'r cob yn 1812) yn ddefnyddiol dros ben. Roedd y Traeth Mawr yn beryglus iawn oherwydd yr holl dywod meddal a byddai'r glanwyr yn gwneud hwyl am ben dynion y Cyllid drwy lanio a llwytho'u troliau ar rannau o'r traeth lle'r oedd sianelau peryglus a thywod meddal rhyngddynt hwy a'r swyddogion. Byddai'r nwyddau'n cael eu dadlwytho o gychod a ddeuai i fyny'r aber efo'r llanw a golygai hynny daith hir cyn y gallasai'r swyddogion gyrraedd at y smyglwyr – a fyddai wedi diflannu, yn naturiol, erbyn hynny! Ar un achlysur dechreuodd y swyddogion danio'u mysgedi ar yr ochr arall i'r sianel gan anafu un o'r glanwyr. O ganlyniad, daethpwyd ag achos llys yn eu herbyn ond yn aflwyddiannus.

Dywedir bod gŵr o'r enw Capten Williams yn byw ym Morth-y-gest yn nechrau'r ddeunawfed ganrif. Wedi iddo ymddeol o'r môr dechreuodd ymwneud â smyglo ac yn ôl y sôn, fe'i gelwid yn Gapten Williams y Smyglwr! Roedd yn byw ym Mhlas y Borth a cheir hanesion bod ei dŷ gyda'r nos yn fwy fel tafarn na chartref cyffredin. Cynhelid nosweithiau llawen yno gyda chwrw a gwin yn llifo a'r telynor yn aml fyddai Dafydd y Garreg Wen. Dywedir mai ar ei ffordd adref o Blas y Borth yr oedd Dafydd pan syrthiodd i gysgu a phan ddeffrodd yn y bore a chlywed ehedydd yn hedfan uwch ei ben, cyfansoddodd 'Codiad yr Ehedydd'.

# Pwllheli a Llŷn

Nid oedd fawr o gyfraith a threfn yn Llŷn yn ystod y ddeunawfed ganrif a manteisiai'r trigolion yn helaeth ar hynny. Bu terfysg yn Nefyn yn 1725 pan geisiwyd atal glanio nwyddau yno, gan gynnwys halen o'r Iwerddon oedd mor hanfodol i halltu penwaig yn yr ardal. Ym mis Chwefror 1763, daeth y *Marie Therese* o Bordeaux â llwyth o frandi, rym a gwin i Borth Dinllaen ond am nad oedd digon o ddynion y Cyllid i geisio'u hatal, rhaid oedd gadael iddynt fynd. Wedi iddi ddadlwytho, hwyliodd i Aberdaron gyda gŵr o Aberystwyth arni i weithredu fel peilot i'w chael i'r lan yn ddiogel. Galwodd y casglwr tollau ar i'r *cutter* fynd ati ond erbyn iddi gyrraedd, roedd y llong Ffrengig wedi cael gwared â'i llwyth. Nid hon oedd yr unig long o bell ffordd i hwylio o Ffrainc i Llŷn. Ym Mhwllheli ym mis Ebrill 1796, daeth deunaw o smyglwyr arfog o'u llong a cherdded drwy'r dref gyda'u nwyddau gwaharddedig, tra bo rhingyll a deuddeg o filwyr ar ddyletswydd yn gwneud dim ond eu gwylio.

Câi smyglwyr groeso mawr yn nhref Pwllheli a dibynnai ffyniant masnachol y dref ar nwyddau anghyfreithlon megis haearn, sbeisys, gwirodydd a halen a ddadlwythid yn gyfrinachol ar draethau diarffordd Llŷn. Gan fod cymaint o smyglo yn yr ardal, gyrrodd Gwasanaeth y Cyllid *cutter* i Bwllheli ond yn ôl Sgweiar Nanhoron, '*she is as much use as if she was stationed at Charring Cross,*' a hynny oherwydd bod sgwner o Guernsey newydd fod yn dadlwytho cargo o silc, te, brandi a jin yn ddirwystr ym Mhorth Neigwl.

Methodd *cutter* y Cyllid ddal y smyglwyr yn 1808

hefyd, a hynny wedi iddynt weld smac 25 tunnell wrth angor ym Mhorth Cadlan ger y Rhiw. Gwelwyd dynion yn dadlwytho sachau o'r llong i'r traeth ond er i'r *cutter* fynd ar eu holau, methwyd â'u dal. Yn ddiweddarach, daeth y swyddogion ar y tir o hyd i ddwy sachaid o halen wedi eu cuddio mewn cae tatws ar ben y clogwyn.

Mae sawl cofnod o longau cario glo yn cael eu dal, gan gynnwys y slŵp *Peggy* a gyrhaeddodd i Bwllheli ym mis Gorffennaf 1763. Ymhen ychydig ddyddiau wedi iddi lanio clywodd y swyddog tollau drol yn mynd ar hyd y stryd tua hanner nos. Wedi holi, daethpwyd o hyd i domen o lo yn iard Thomas Samuel a chyfaddefodd capten y *Peggy* mai fo a'i cludodd o'i long.

Roedd gan deulu Cefnamwlch ger Tudweiliog long fechan arfog a ddadlwythai nwyddau ar ynysoedd Tudwal ac Ynys Enlli. Roedd hi hefyd yn hwylio'n aml i Gaer am fod gan y teulu gysylltiad busnes â rhannau o Sir Gaerhirfryn. Dywedir hefyd fod twnnel cudd o Gefnamwlch tuag at y Gwindy a bod carreg yn yr ardd yn cuddio ceg y twnnel.

Yn yr ail ganrif ar bymtheg preswyliai Syr William Jones yng Nghastellmarch ger Aber-soch a cheir stori ei fod yn gyfeillgar â gang o smyglwyr a ddeuai â'u nwyddau i'r lan ar drwyn Llanbedrog. Roedd gan Syr William was yr oedd eisiau cael ei wared. Cynigiodd y capten pe byddai Syr William yn talu iddo, y byddai'r smyglwyr yn herwgipio'r gwas a mynd ag ef i dde Ffrainc. Dyna a ddigwyddodd ond daeth y gwas yn gyfeillgar â'r smyglwyr a chafodd aros yn un o'r criw. O dipyn i beth, daeth yn fêt ac yna'n gapten llong! Ymhen rhai blynyddoedd, penderfynodd ddychwelyd i Aber-soch a chwarae tric ar ei hen feistr. Gwahoddwyd Syr William i'r llong i gael gweld a phrofi'r holl winoedd yr oedd gan y smyglwyr i'w gwerthu iddo ond tra oedd yn bwyta ac yn yfed, gadawodd y llong Aber-soch a bu'n rhaid i Syr William dreulio cryn amser ar y môr cyn i'r cyn was adael iddo brynu ei ryddid a dychwelyd i Gastellmarch.

Roedd Aberdaron hefyd yn lloches i smyglwyr. Yn ôl capten *cutter* y Cyllid ym mis Mai 1767:

Ar y pumed o'r mis hwn, angorodd slŵp gan tunnell ym Mae Aberdaron yn hwyr, a daeth deg o ddynion i'r lan, a chleddyfau a llawddrylliau ganddynt, a chynnig brandi a the ar werth. Dywedent mai o Ffrainc y daethent, ond ni werthent lai na deg casgen o frandi a chist o de, a gofyn decpunt amdanynt. Trannoeth, taniwyd gwn o fwrdd y llong gyda'r nos i alw'r dynion yn eu holau, ac yna hwylio am lannau Aberteifi a gwerthu eu cargo yno, yn ôl fel y clywsom.

Mewn llythyrau dyddiedig 1783 ac 1784 dywedodd un swyddog tollau fod y smyglwyr wedi gwerthu gwerth £16,000 o de, brandi, gwin a jin mewn blwyddyn yn ardal Pwllheli yn unig.

Dyma ran o gywydd Ieuan Dew yn sôn am Bwllheli'r cyfnod:

Lle denir oll y dynion,
O bob man heidian i hon,
Lle rhad gwin, lle rhoed y gêd,
Lle nefol llawen yfed.

Yn 1814 cafodd y smyglwyr halen eu gweld yn dadlwytho halen ym Mhorth Colmon, darganfyddwyd peth ohono mewn tyddynnod yn Llangwnnadl a Bryncroes. Cafodd pedwar eu harestio ac am nad oedd modd iddynt dalu'r ddirwy fe'u taflwyd i garchar Caernarfon. Apeliwyd sawl gwaith ar eu rhan, a'u teuluoedd tlawd, ond gwrthodwyd eu rhyddhau bob tro. Yn ôl y sôn, gan eu bod yn cael cyn lleied o fwyd yno, roeddent wedi teneuo gymaint fel y llwyddodd un ohonynt, William Williams, i ddianc rhwng barrau ffenestri'r carchar. Llwyddodd i gyrraedd adref a chuddiwyd ef yn y fuddai. Pan gryfhaodd ddigon, fe'i gwisgwyd mewn dillad merch ac ymfudodd i ddiogelwch America.

## Caernarfon a chulfor Menai

Gyda phrysurdeb llongau ar gulfor Menai a'r mynd a dod cyson o borthladd Caernarfon, ceid cyfleoedd lu i ddod â nwyddau anghyfreithlon i'r ardal. Serch hynny, rhaid oedd bod yn ofalus wrth ddod i'r culfor oherwydd peryglon croesi bar Caernarfon yn y pen gorllewinol a thraethau twyllodrus Lafan y pen arall. Byddai presenoldeb swyddogion y Cyllid yng Nghaernarfon a Biwmares yn peri trafferthion ar brydiau hefyd ond roedd llefydd cyfleus iawn i lanio a chuddio nwyddau gerllaw, er enghraifft yn Ninas Dinlle a thraethau eraill ar ochr ddeheuol yr aber, ac ar Ynys Llanddwyn a thwyni Niwbwrch ym Môn ble gellid eu cuddio a'u cludo ar draws mewn cychod llai pan fyddai'n gyfleus. Disgrifid

Bangor fel *'great thoroughfare for smugglers'*.

Fel yn Nhrefor, rai milltiroedd i'r de orllewin ar hyd y glannau, ceid Tŷ Halen yn Ninas Dinlle hefyd ple gellid cael cyflenwadau o halen wedi'i smyglo.

Ym mis Gorffennaf 1783, cafodd slŵp smyglwyr ei herlid a'i dal yng nghulfor Menai ger Caernarfon. Yn y sgarmes, lladdwyd un o'r smyglwyr ac anafwyd un o ddynion y Cyllid. Daliwyd y smyglwyr a'u cadw dros nos yng ngharchar Caernarfon cyn ymddangos o flaen yr ynadon yn y bore ond er bod anafu dyn Cyllid yn drosedd ddifrifol iawn, fe'u rhyddhawyd a chan fod un o'r smyglwyr wedi cael ei ladd, ceisiwyd dod ag achos yn erbyn dynion y tollau.

Yn 1806, roedd cwmni smyglo o Guernsey, *Cartereux Priaux*, wedi penodi asiant yng Nghaernarfon o'r enw Lawrence Banks a dalai £400 y flwyddyn i gadw pethau'n dawel ac i hwyluso smyglo nwyddau i ogledd Cymru. Yr adeg honno, safai tolldy'r dref ble mae tafarn yr *Anglesey* y dyddiau hyn a'r gweithwyr yno yn gyfrifol am lannau culfor Menai a'r arfordir i lawr am Ddinas Dinlle. Yn 1857, codwyd adeilad arbennig i'r gwasanaeth tollau ym Mhorth yr Aur ac yn ôl y sôn gellid gweld goleuadau yn y twyni yn Niwbwrch a Dinas Dinlle oddi yno yn y nos.

Roedd rhai yn cael eu hamau hyd yn oed o smyglo llechi! Yn 1717, gorchmynnwyd erlyn llong o Gaernarfon am gario mwy o lechi nag a nodwyd ar ei thrwydded. Roedd hynny braidd yn annheg efallai, oherwydd yr arferiad oedd rhoi llechi ychwanegol ar long i wneud iawn am y rhai a fyddai'n cael eu torri wrth lwytho – ond ni fyddai swyddogion Cyllid pob porthladd yn deall hynny. Mae'n amlwg fod llwythwyr Caernarfon yn fwy gofalus na rhai Porth Penrhyn oherwydd fe ganiateid chwe llechen ychwanegol am bob cant ym Mhorth Penrhyn ger Bangor ond dim ond pedair yng Nghaernarfon. Pan fyddai'r llwythwyr wedi bod yn fwy gofalus nag arfer, byddai'n bosib i long gyrraedd porthladd ac arni fwy ar ei bwrdd nag a oedd ar ei thrwydded, ac oherwydd hynny amheuid bod y capteiniaid yn smyglo llechi!

## Ynys Môn

Penodwyd y casglwr tollau cyntaf yng Nghaergybi ym mis Awst 1680, a hynny nid oherwydd smyglo tybaco neu wirod, ond i atal *'great quantities of Irish cattle being imported there in contravention of the Act prohibiting such imports into Britain'*.

Erbyn y ddeunawfed ganrif roedd Caergybi'n borthladd bychan ond pwysig i fasnach y glannau ac yn ganolbwynt i ddiwydiant pysgota llewyrchus. Deuai'r *wherries* Gwyddelig â brandi, te a rym o Ynys Manaw a halen a sebon o Iwerddon i'w dadlwytho ar yr arfordir. Yn amlwg, roedd lleoliad Caergybi o fewn golwg i Ynys Manaw yn demtasiwn mawr ac roedd y meistri tir yn ogystal â'r werin bobl yn cefnogi'r fasnach anghyfreithlon.

Roedd gogledd Môn yn arbennig yn enwog am smyglo. Yma ceid llawer o fân dyddynnod tlawd a phobl yn crafu byw drwy ffermio a physgota. Gerllaw, hefyd, roedd mwynwyr Amlwch a fyddai'n gweithio yng ngwaith copr Mynydd Parys. Dywedir bod y mwynwyr yn ffurfio gangiau a oedd yn eithriadol o beryglus i swyddogion y Cyllid a bod chwant enfawr ganddynt am wirodydd anghyfreithlon. Dywed un disgrifiad ohonynt: ' . . . *the Officers are afraid of performing their Duty for the Miners are a set of lawless Banditti . . .'*

Ym mis Mai 1765, roedd nid llai na phum llong yn llawn rym o India'r Gorllewin yn harbwr Caergybi. Roeddent ar eu ffordd i Iwerddon a dim ond tri swyddog ar gael i'w gwarchod. Gyrrwyd am gymorth Capten Gambold a'i long, y *Pelham*, ond roedd cryn dipyn o gargo wedi ei ddadlwytho a'r llongau wedi hen fynd cyn i Gambold gyrraedd.

Dywed adroddiad Casglwyr Tollau Biwmares yn 1770 fod John Connor, neu *Jack the Batchelor* fel y'i gelwid, wedi ymosod ar y *Pelham Cutter* dan y Capten Gambold ym mae Biwmares a'i suddo ger y dref. (Gwyddel oedd Connor a chan fod smyglo'n cael ei ystyried yn weithred wleidyddol/genedlaetholgar yn Iwerddon, mae Connor yn arwr cenedlaethol yno.) Adroddir bod Capten Gambold wedi derbyn llong arall at ei wasanaeth, yr *Hector*. Cafodd gryn lwyddiant efo'i long newydd, gan iddo ddal y *Speedwell* ger Bagillt yn 1771, sef llong cario glo dan ofal y Capten Thomas Rowlands, a hefyd y *Jenny*, fferi 130 tunnell o Ddulyn.

Ceid llongau mwy na'r *Jenny* ar arfordir y gogledd. Dywed yr adroddiad fod rhai hyd at 200 tunnell yn dadlwytho te a gwirodydd ar hyd yr arfordir. Yn 1775, roedd llong Wyddelig fawr, 150 tunnell ac arni 12 gwn llong, 16 gwn troi a deg ar hugain o ddynion yn rhedeg te, gwirodydd a nwyddau eraill ar arfordir y gogledd. Yn ôl adroddiad y cyfnod, *'It cruised arrogantly along the*

*Merionethshire, Caernarvonshire and Anglesey coasts for three weeks, and no officer dare go near'.* Bu yn yr ardal am bythefnos gan fygwth chwalu tŷ un o swyddogion y glannau. Roedd Capten Gambold yn ei dilyn ond cadwodd yn ddigon pell oddi wrthi.

Dywedir bod nwyddau'n cael eu dadlwytho ym Miwmares a bod gan sawl llong – gan gynnwys y cwch peilot *Young Tom* a ddisgrifiwyd fel *'a very remarkable smuggler for some years'* – gysylltiad â thafarnau'r ardal, er enghraifft tafarn y *Sign of the Coffee* ym Miwmares ble byddai te a smyglwyd ar yr *Young Tom* yn cael ei guddio mewn adeilad allanol yno.

Mae llyfr enwog *Madam Wen*, W. D. Owen, yn seiliedig ar rai o draddodiadau smyglo a llongddryllio Môn.

## Aberconwy, Morfa Rhuddlan ac aber afon Dyfrdwy

Roedd arfordir y gogledd yn gyfleus iawn i smyglwyr Ynys Manaw ac un a fyddai'n dod â nwyddau i Forfa Rhuddlan, yn ogystal ag i'r Gogarth a gogledd Môn, oedd y Gwyddel Connah. Dyma'r gŵr a roddodd ei enw i Gei Connah – lle arall enwog am ei smyglo. (Mae enwau megis *Connah's Steps, Connah's Cave* a *Connah's Pool* yn dal yn yr ardal.) Un o brif smyglwyr Morfa Rhuddlan oedd Ellis Jones, Abergele ac roedd yr ardal honno, cyn adennill y tir o'r corsydd heli, yn llawn cilfachau a sianelau addas iawn ar gyfer dadlwytho nwyddau.

Ym mis Ionawr 1712 cofnodwyd bod aelod o'r Cyllid wedi 'gorwedd ar ei fol yn y tywod' ger Conwy yn gwylio'r wlad i gyd yn dod â throliau a wagenni i gludo halen oddi yno. Oherwydd eu nifer, roedd arno ofn gwneud dim i'w hatal, a hynny'n arbennig gan mai arweinydd y fintai oedd Syr Griffith Williams, barwnig ac ynad heddwch! Ysywaeth, darganfuwyd ei guddfan a chafodd ei guro, ei glymu a rhoi barclod gof am ei lygaid rhag iddo adnabod neb na gwybod i ble y byddai'r smyglwyr yn mynd ag ef. Cludwyd ef i dŷ Syr Griffith a'i gau yn y cwt ieir gan roi chydig o laeth enwyn iddo. Wedi iddo gael ei ryddhau, gyrrodd adroddiad i Lundain ond ni wnaethpwyd dim ynglŷn â'r digwyddiad. 'All y swyddog ddim profi'r wybodaeth, gan fod pawb un ai'n denantiaid, gweision neu'n ddibynnol ar ddynion o bwys,' meddai'r adroddiad swyddogol.

Roedd y traethau ger Llandudno hefyd yn cael eu defnyddio i smyglo ac yn 1761 daeth dau swyddog tollau, Robert Lloyd a David Jones, ar draws smyglwyr yn dadlwytho nwyddau yno. Roedd *wherry* allan yn y bae a'r nwyddau'n cael eu trosglwyddo i gychod llai i ddod i'r lan, ble'r oedd tyrfa fawr efo ceffylau yn barod i'w cludo ymaith. Nid oedd digon o swyddogion i atal y smyglwyr ac felly cawsant rwydd hynt, er i gistiau o de gael eu canfod ar y traeth yn ddiweddarach.

Oherwydd lleoliad y dref, datblygodd Rhuddlan yn ganolfan gyfleus i lanio a dosbarthu nwyddau anghyfreithlon i Ddyffryn Clwyd cyn belled â Chorwen a thu draw. Ar ôl 1765, dechreuwyd adeiladu llongau ar y morfa. Yn ôl casglwr tollau Biwmares, roedd *cutters* cyflym yn cael eu hadeiladu yno, llongau na welwyd eu tebyg o'r blaen yng ngogledd Prydain. Yn ddiweddarach, cafodd un ohonynt, *cutter* 70 tunnell, ei dal yn smyglo yn

Whitehaven, gogledd-orllewin Lloegr.

Yn 1765 pan gollwyd Ynys Manaw fel canolfan gyfleus i longau bychain lanio nwyddau ar yr arfordir, bu rhywfaint o newid yn y patrwm o gyflenwi. Bellach roedd yn rhaid i longau mawr arfog ddod yr holl ffordd o Ffrainc. Daeth un o'r rhain i ail-sefydlu'r fasnach anghyfreithlon yn yr ardal yn 1767, a phan laniodd ar Forfa Rhuddlan, daeth ugain o smyglwyr arfog o'r llong gan gynnig 'escort' i'r troliau am rai milltiroedd i'r tir, a gadawyd cyflenwad sylweddol o arfau a phowdwr gwn i'r glanwyr i amddiffyn eu hunain at y dyfodol. Roeddent yn amlwg yn bwriadu i'w 'busnes' fod yn un parhaol.

Roedd aber afon Dyfrdwy hefyd yn nodedig am ei smyglwyr oherwydd oddi yno y cyflenwid anghenion sylweddol Caer yn ogystal â byddigions Sir y Fflint. Dywedir bod y smyglwyr – am eu bod yn gwybod am beryglon yr aber yn well na swyddogion y Cyllid – yn eu denu ar y traethellau peryg ac i sianelau â llifoedd cryfion. Un swyddog a gollodd ei fywyd fel hyn oedd Edmonds, a ddenwyd i'w dranc wrth geisio dal y smyglwr enwog Connah. Anfarwolwyd yr achos hwn mewn enwau lleoedd yn yr ardal, er enghraifft Edmonds Hollow yn Oakenholt.

Soniodd Thomas Pennant yn 1796 am gyflenwad mawr o win yn cael ei lanio ger Mostyn ar gyfer byddigions Sir y Fflint ond cafodd y nwyddau eu meddiannu gan ddynion y tollau a'u hebrwng i'r Llety Gonest Inn (tad Pennant oedd perchennog y dafarn). Fodd bynnag, yn ystod y nos ymosododd criw mawr o 'lowyr' ar y dafarn, carcharu dynion y tollau a rhyddhau'r gwin. Sylwodd un o'r swyddogion fod gan rai o'r 'glowyr' ddillad cain o dan eu brethyn garw a modrwyau aur am eu bysedd! Cynhaliwyd ymchwiliad, ond *such was the fidelity of our people that none were captured*. Er hynny, ar achlysur arall, diwedd gwahanol iawn a gafodd smyglwr o'r ardal a gafodd, yn ôl Cofrestr Tlodion Mostyn, ei grogi ar y safle ble gwelir y dociau y dyddiau hyn.

Byddai gwirodydd a nwyddau eraill a ddadlwythid yn aber afon Dyfrdwy yn cael eu gyrru ymlaen i leoedd eraill. Er enghraifft, byddai llongau a gariai gaws o Sir Gaer i Lundain yn mynd â chyflenwadau cudd o frandi i'r brifddinas a byddai llongau glo a hyd yn oed y cychod camlas a symudai lo o byllau Sir y Fflint yn fodd cyfleus iawn i gario brandi.

O'r holl nwyddau a gâi eu smyglo o aber afon Dyfrdwy, y mwyaf nodedig oedd gynnau llong o waith haearn John Wilkinson yn y Bers. Cawsai'r rhain eu smyglo i Ffrainc adeg rhyfel Napoleon. Yn yr un modd, aeth shitiau copr i'w rhoi ar waelod llongau a wnaed gan Thomas Patten yn Nhreffynnon i Ffrainc a'r Iseldiroedd, eto mewn cyfnod o ryfel rhwng Lloegr a Ffrainc.

# Smyglwyr Amlwg o Gymru

## Y Teulu Lucas

*Stout Hall*, Morgannwg, oedd prif gartref y teulu bonheddig hwn a oedd hefyd yn smyglwyr. Roedd John Lucas yn ddyn golygus ond o dymer wyllt a heb fawr o barch at y gyfraith. Cafodd dŷ o'r enw *Salt House* ym Mhorth Eynon gan ei dad ac aeth ati i godi amddiffynfeydd o'i amgylch a'i ddefnyddio fel pencadlys i'w weithgareddau anghyfreithlon, *'storing said stronghold with arms'*. Yr un modd roedd tŷ arall o'i eiddo, *Kulverd Hall*, *'rebuilded and repaired . . . He rendered both inaccessible save for passage thereunto through the clift . . .'* Dywedir iddo *'secured ye pirates and ye French smugglers and rifled ye wrecked ships and forced mariners to serve him'*.

Aeth John Lucas i bartneriaeth â dau arall o'r ardal, George Eynon a Robert Scurlage, a'r tri hyn oedd yn rheoli'r gangiau smyglo a weithredai ar arfordir Penrhyn Gŵyr yn y ddeunawfed ganrif.

Dywedir bod Lucas yn rhyw fath o gymeriad Robin Hood, gan fod yr ardal i gyd wedi ennill mantais wrth

iddo ddod â nwyddau anghyfreithlon i'r lan ym Mhorth
Eynon. Yn wir, arferai smyglwyr fod yn hael wrth
drigolion eu bro i sicrhau cydweithrediad.

Ym mhen pellaf Porth Eynon ceir *Culver Hole*, sef
cilfach gyda wal trigain troedfedd o uchder o'i chwmpas
a thyllau gwylio ynddi. Defnyddiai Lucas y fan yma i
gadw arfau a dywedir bod ganddo dwnnel cudd yn
arwain i'r gilfach. Yn ei flynyddoedd olaf, rhoddodd y
gorau i smyglo a dymchwelodd yr amddiffynfeydd o
amgylch *Salt House*. Fe'i dilynwyd fel smyglwr gan sawl
aelod arall o'r teulu.

Dywedir i long a oedd yn eiddo i ddisgynnydd i John
Lucas – gŵr o'r un enw ag o – fynd i drafferthion ar
draeth Nash ond cyn iddo allu cael ei lwyth
anghyfreithlon oddi arni, roedd smyglwyr eraill wedi
bod yno o'i flaen. Brysiodd Lucas i dŷ'r sgweiar lleol a
oedd yn bennaeth ar y fintai honno a mynnodd gael ei
eiddo'n ôl. Llwyddodd nid yn unig i gael ei nwyddau
ond hefyd i gael gwraig – merch y sgweiar, nad oedd
erioed wedi ei gweld o'r blaen.

Bu sawl cenhedlaeth o'r teulu Lucas yn teyrnasu yn yr
ardal a hynny am bron i ddwy ganrif. Dywedir bod saith
cenhedlaeth o'r teulu wedi byw yn *Salt House* a bod yr
olaf wedi marw yn 1803, a hynny o fraw pan welodd y
tŷ'n cael ei ddymchwel mewn storm fawr. Yn ôl y sôn,
roedd selerydd *Salt House* mor fawr fel y gellid gyrru
ceffyl a throl i mewn iddynt. Ceir traddodiad lleol na
chafwyd cyfle i ddosbarthu'r llwyth olaf o winoedd a
sidanau o Ffrainc ar ôl marw'r John Lucas olaf a'u bod yn
dal yn y selerydd – ond er i sawl un chwilio dros y
blynyddoedd ni chafwyd hyd i ddim.

Un arall o dai'r teulu oedd *Great House* yn Horton. Yn 1986, pan oedd y perchennog yn adnewyddu'r tŷ, daeth o hyd i dyllau saethu yn y wal. Dywedir bod grisiau'r tŷ wedi eu gwneud o bren llong a aeth i drafferthion oddi ar arfordir Gŵyr.

Yn ôl y sôn, seiliodd y cyfansoddwyr Gilbert a Sullivan eu opera *Pirates of Penzance* ar John Lucas a oedd, nid yn unig yn smyglo nwyddau i Gymru, ond hefyd yn gweithredu oddi ar arfordir Cernyw, ger Penzance.

## William Owen

Dyma un o'r smyglwyr y ceir y mwyaf o wybodaeth ffeithiol am ei fywyd – a fu'n rhyfeddol o anturus ond yn fyr!

Ganed William Owen yn Nanhyfer, Sir Benfro, ym mis Ionawr 1717, yn fab i Owen David Bowen a oedd yn un o ffermwyr mwya'r plwyf. Cafodd Owen yr addysg orau, yn Aberteifi fwy na thebyg, ond gwrthododd yn llwyr gynnig ei dad i'w anfon i brifysgol i'w baratoi ar gyfer yr offeiriadaeth, a gwrthododd hefyd brentisiaeth gyda chyfreithiwr. Roedd yn casáu ffermio a mynnodd mai morwr oedd am fod. Felly, yn 1731 neu 1732 ymadawodd am Hwlffordd ble ymunodd â chriw llong fechan a oedd yn masnachu â Bryste.

Bu'n ôl ac ymlaen rhwng y môr a'i gartref am ddwy flynedd ac yn y cyfamser gorfu iddo briodi, er iddo adael ei wraig yn ddiweddarach. Prynodd ei dad long fechan iddo ond ymhen blwyddyn fe'i collodd pan gafodd ei chipio gan swyddogion y tollau ar ei ffordd yn ôl o'i thaith smyglo gyntaf o Ynys Manaw.

Listiodd wedyn ar long a oedd yn mynd i India'r Gorllewin ond ar ôl ffraeo efo'r capten ymunodd â llong smyglo arfog o'r enw *Terrible*. Rhywbryd yn 1736, daeth dwy long gwarchod y glannau o Sbaen ar eu gwarthaf. Roedd y capten am iddynt ddianc ond roedd Owen a'r swyddogion eraill am ddal eu tir ac ymladd. O dan arweiniad Owen (rhoddwyd y capten dan glo yn ei gaban) bu ymladdfa ffyrnig. Lladdwyd 60 o Sbaenwyr, 25 ohonynt wedi i Owen rowlio casgenni powdwr a'u ffrwydro ar fwrdd un o'r llongau. Lladdwyd 11 o griw'r *Terrible* a chafodd Owen anaf difrifol i'w ben. Oddi yno aethant i Barbados ble bu Owen, a oedd yn 'ddyn sobr a synhwyrol nad oedd yn arfer rhegi na thyngu', yn 'ymollwng ei hun i fenywod' a chafodd blant 'o bob lliw' yno!

Dychwelodd i'r môr ond cafodd ei ddal gan un o longau'r Llynges Brydeinig. Roedd y capten yn meddwl ei fod yn 'fachan dewr' a chynigiodd swydd iddo ar ei long. Yno y bu Owen am ugain mis cyn llwyddo i ddianc yn ôl i Gymru.

Dechreuodd smyglo unwaith eto a bu ar sawl taith smyglo o Ynys Manaw i Ardal y Llynnoedd a Sir Benfro. Ar un achlysur gwnaeth ddifrod difrifol i un o longau'r Cyllid oddi ar arfordir gogledd Lloegr ond yn y diwedd collodd ei long a'i chargo i swyddogion y Cyllid, gan ddianc gyda dim ond swllt yn ei boced. Cafodd afael ar long arall o Ynys Manaw a bu'n smyglo i Westmorland a Lerpwl, ac ar un fordaith aeth â llwyth mawr o de i'r Bermo.

Yna, ym mis Ebrill 1744, bu mewn brwydr â dynion y

Cyllid wrth iddynt geisio byrddio ei long a oedd wedi angori yn aber afon Teifi. Yn yr ymladdfa lladdodd Owen a'i griw bedwar o'r ymosodwyr, gan gynnwys James Phillips y Swyddog Tollau a thri arall a oedd yn ei gynorthwyo, cyn dianc yn ôl i Ynys Manaw. Cyhoeddwyd gwarant i arestio Owen ac aeth ar ffo i'r bryniau cyn cael ei ddal yn y diwedd a'i drosglwyddo i Lerpwl cyn mynd ymlaen i sefyll ei brawf yn Henffordd. Amddiffynnodd Owen ei hun yn y llys a, rhywsut, llwyddodd i argyhoeddi'r barnwr a'r rheithgor ei fod yn ddieuog o'r cyhuddiadau ac fe'i gollyngwyd yn rhydd.

Aeth i Iwerddon ond buan y dechreuodd smyglo eto i dde Cymru. Fodd bynnag, daeth terfyn ar hynny pan y'i llongddrylliwyd mewn storm yn 1746.

Ymunodd wedyn â chriw o fôr-ladron ond fe'i trawyd gan afiechyd rhywle oddi ar arfordir gogledd Affrica a dychwelodd i Iwerddon, ac o'r diwedd i Aberteifi i wella. Yno cyfarfu â chyfaill – James Lilly – a oedd yn smyglwr adnabyddus arall ac mae'n debyg i'r ddau fynd i ladrata arian o dŷ yn Nanhyfer a saethu un o'r gweision yn ei wyneb wrth wneud hynny.

Ymhen rhai dyddiau, gwelwyd y ddau yn Aberteifi ac aeth criw o bobl ar eu holau i geisio'u dal. Saethodd Lilly geffyl yr un a oedd yn arwain a saethodd Owen un arall o'r erlidwyr yn farw. Dywedwyd i Owen saethu Lilly yn farw wedyn er mwyn iddo gael ceffyl Lilly iddo'i hun i ddianc. Ond fe'i daliwyd a chafodd ei gyhuddo o ladd Lilly yn ogystal â'r erlidiwr a saethodd. Fe'i rhoddwyd ar brawf yng Nghaerfyrddin ym mis Ebrill 1747 a'i gael yn euog. Crogwyd William Owen ym mis Mai 1747 ac yntau ond yn 30 oed – wedi cael bywyd byr ond hynod gyffrous.

# Siôn Cwilt

Siôn Cwilt oedd smyglwr enwocaf Ceredigion yn y ddeunawfed ganrif ac yn gyfrifol am ddosbarthu nwyddau anghyfreithlon drwy'r ardal. Daeth i amlygrwydd yn nofelau T. Llew Jones. Roedd yn byw mewn bwthyn ar rostir ger Synod Inn – lle sy'n dal i arddel yr enw Banc Siôn Cwilt hyd heddiw. Cafodd ei gyfenw, medd rhai, oherwydd ei wisg, sef côt â chlytiau lliwgar arni. Gwelir yr enw John Qwilt yng nghofnodion plwyf Llanina pan fedyddiwyd ei fab yno yn 1758 ond mae'n fwy tebygol mai llygriad o'r gair 'gwyllt' yw'r cyfenw, sy'n tarddu o Sir Faesyfed. Enw arall arno oedd Siôn Sais; mae'n debyg na allai siarad Cymraeg yn rhugl.

Roedd sôn ei fod yn perthyn i Syr Herbert Lloyd, Ffynnon Bedr, Uchel Siryf y sir. Credir bod Siôn wedi dod i fyw i'r ardal a chodi tŷ unnos yno oherwydd bod yr ardal yn fan canolog rhwng Ffynnon Bedr a dau draeth a oedd yn enwog am smyglo, sef Cwmtudu a Chei Bach. Roedd yr ardal yn un anghysbell a diarffordd ac yn addas i smyglwyr lechu oddi wrth yr awdurdodau. Dywedir y byddai Siôn Cwilt yn dod i wybod pan fyddai llong smyglwyr yn cyrraedd yr arfordir ac y byddai'n mynd i lawr, yn arfog gyda chleddyf a dryll, gyda'i ferlod i'w chyfarfod. Yn ôl y traddodiad roedd llawer o bwysigion y sir yn dibynnu ar Siôn Cwilt i gael gwinoedd a gwirodydd, a Syr Herbert yn eu mysg.

Gwnaeth yr awdurdodau eu gorau i geisio'i ddal. Richard Phillips oedd swyddog halen Ceinewydd ar y pryd ac roedd *riding officer* yno yn ogystal, sef Joseph Jones. Mae'n debyg fod gan Jones hyd at ddau ar bymtheg o ddynion arfog dan ei ofal i atal smyglo halen ar yr arfordir. Roedd gan wŷr y tollau dŷ gwylio yng Ngheinewydd i gadw golwg am longau smyglwyr; yno hefyd roedd y prif swyddog a'i deulu'n byw. Ond, er gwaethaf eu holl ymdrechion, llwyddodd Siôn Cwilt i gadw un cam o flaen yr awdurdodau ac ni chafodd ei ddal. Daeth yn dipyn o arwr gwerin yng Ngheredigion.

## Thomas Knight

Roedd Thomas Knight yn berchen ar nifer o longau arfog – un ohonynt gyda phedwar ar hugain o ynnau a chriw o tua deugain – a weithredai ym Môr Hafren o'i bencadlys ar Ynys y Barri. Roedd ganddo hefyd nifer o ganolfannau caerog ar hyd arfordir y de. Byddai'n smyglo gwirodydd a thybaco o Ynysoedd y Sianel a sebon o Iwerddon.

Yn 1783 cyrhaeddodd Knight, a ddisgrifiwyd fel *'desperate ruffian'*, Ynys y Barri mewn brig o'r enw *John O Combe* a'i gwneud yn bencadlys ar gyfer cadw nwyddau anghyfreithlon. Ar y dechrau, ni chymerodd dynion y Cyllid fawr o sylw ohono a chyda chefnogaeth y trigolion lleol manteisiodd ar hynny a gwneud Ynys y Barri yn gadarnle iddo'i hun. Dywedir bod ganddo rhwng 60 a 70 o ddynion yno a bod swyddogion y Cyllid yn cael trafferth i gael unrhyw un i'w helpu, cymaint oedd dylanwad Knight yn yr ardal. Roedd yn ddyn peryglus na fyddai'n meddwl eilwaith cyn tanio ar longau'r Cyllid.

Yna, yn 1784, llwyddodd y Cyllid i gipio llwyth enfawr o dybaco Knight yn Goldcliff ond oherwydd y gefnogaeth leol, roedd yn amhosib cael neb i'w helpu a bu'n rhaid symud y tybaco i Gaerdydd dan ofal gwŷr arfog o ardal arall.

Yn y diwedd, yn dilyn brwydr fawr yn erbyn dynion y Cyllid a milwyr, cafodd Knight ei hel o'r ynys yn 1785 a symudodd ei bencadlys i Ynys Wair. Fodd bynnag, roedd yr un a'i dilynodd, sef William Arthur, yn ŵr llawer gwaeth.

## William Arthur

O Bennard ar Benrhyn Gwŷr y deuai William Arthur, arweinydd byddin fawr o smyglwyr a weithredai yn afon Hafren. Cafodd ei ddisgrifio yn Awst 1788 gan gasglwr tollau Abertawe fel *'notorious smuggler'* a chan un arall fel *'the most daring smuggler in Glamorgan during the 18th century'*. Roedd Arthur yn byw yn Great Highway Farm a'i gydymaith John Griffiths yn *Little Highway*. Defnyddid y ffermydd hyn i gadw nwyddau anghyfreithlon. Yn 1786 ymosododd dwsin o ddynion y Cyllid ar fferm Great Highway ond roedd Arthur wedi clywed eu bod ar eu ffordd ac yn barod amdanynt – *'a Body of desperate fellows . . . amounted to One hundred'*. Wedi ymladdfa ffyrnig bu'n rhaid i ddynion y tollau ddianc am eu bywydau. Cafwyd cyrchoedd eraill ar y fferm, ddwywaith yn 1788, ond yn aflwyddiannus.

Ceir stori leol am swyddog Cyllid yn canfod casgen o frandi wedi'i chuddio yn naflod un o ffermydd *Highways*. Anfonodd am ragor o ddynion i'w helpu tra oedd yn cadw golwg ar y gasgen. Yn y cyfamser, gwaeddai a chanai'r smyglwyr yn y stafell oddi tano er mwyn cuddio sŵn un ohonynt yn drilio twll yn llawr y daflod a thrwy waelod y gasgen i wagio'r brandi i dwba islaw!

Roedd llawer o ddynion y Cyllid yn ofni Arthur a gwnaed cais i long y llynges gael ei sefydlu'n barhaol ym Mhenarth a thrigain o filwyr ar Ynys y Barri i'w atal. Yn 1788 gwnaed dau gyrch ar Ynys y Barri ond rhaid oedd aros tan 1791 cyn y llwyddodd dynion y tollau i symud Arthur oddi yno – a hynny gyda chymorth trigain o ddragŵns arfog. Dywedir i deulu'r Arthuriaid symud i Ynystawe, rhwng Clydach a Threforus, a chodi tŷ mawr yno o'r enw Cwmdŵr. Ym mis Ebrill 1804 cynhaliwyd cyrchoedd ar ei ffermydd ar Benrhyn Gŵyr ble daethpwyd o hyd i nwyddau anghyfreithlon yn y selerydd. Yn ôl casglwr trethi Abertawe roedd y ffermydd hyn yn *'supplied many years with foreign spirits and other uncustomed goods to a vast amount'*.

Un o longau Arthur oedd y *Cornwall*, cwch beilot o tua 20 tunnell a gedwid yn Ilfracombe, Dyfnaint. Mantais fawr y cychod peilot oedd mai eu gwaith oedd mynd allan i gyfarfod llongau mwy a gyrhaeddai Fôr Hafren i'w tywys yn ddiogel i'r lan. Yn naturiol, rhoddai hyn gyfle gwych i'r smyglwyr gymryd nwyddau oddi ar y llongau hyn cyn iddynt lanio. Roedd y *Cornwall* wedi cael ei dal sawl gwaith gyda nwyddau anghyfreithlon ar ei bwrdd ond bob tro byddai gan y capten esgus digonol a châi ddihangfa. Yna, yn 1783 cafodd ei dal â jin a the ar ei bwrdd a meddiannodd dynion y tollau y llong a'r nwyddau.

Yn dilyn hyn, plediodd William Arthur iddynt ryddhau ei long gan honni fod y te a'r jin wedi eu rhoi arni heb yn wybod iddo ef na'i chapten. Ond yn ôl Peter Fosse, casglwr tollau Ilfracombe, roedd y *Cornwall* wedi cael ei defnyddio *'in an illicit trade between the island of Lundy and the coasts of Cornwall, Devon, Somerset and Wales in the Bristol Channel'*. Ychwanegodd fod *'great reason to think that the seizure of tea and brandy made by the officers here in the month of November last came out of the said boat, as she lay at anchor near the place where the seizure was made'*. Gwrthodwyd cais Arthur i gael ei long yn ôl a chafodd y *Cornwall* ei llifio'n dair rhan a gwerthwyd yr hyn a oedd yn weddill i dalu treuliau dynion y tollau.

Daeth un o ddisgynyddion William Arthur yn is-lynghesydd Llynges Prydain a chafodd porthladd yn Tsieina ei enwi ar ei ôl, sef Port Arthur, neu Lushunk'ou erbyn hyn.


## Huw Andro

Yn ôl traddodiad yr ardal, un o brif smyglwyr halen Llŷn yn y ddeunawfed ganrif oedd Huw Andro o Lanfaelrhys. Albanwr o'r enw Hugh Andrews ydoedd yn wreiddiol., a gafodd ei olchi i'r lan ar Ynys Enlli wedi i'w long gael ei dryllio mewn storm. Ef oedd yr unig un a ddaeth ohoni'n fyw.

Yn ôl y stori fe'i cariwyd i ffermdy Rhedynog Goch ar yr ynys ac edrychwyd ar ei ôl yno gan Siân, unig ferch y fferm. Yno, daeth ato'i hun, dysgodd Gymraeg a syrthiodd mewn cariad â Siân. Wedi priodi symudodd y ddau i Lanfaelrhys ar y tir mawr ble cafodd Huw gymorth saer llongau lleol i adeiladu cwch a oedd yn gryn dipyn o faint ac fe'i henwodd yn *Enlli*. Defnyddiai hi i bysgota a chan fod Siân yn un dda am wneud ffisigau o ddail, byddai Huw a'i fab Ifan weithiau'n mynd drosodd i Iwerddon i'w gwerthu.

Clywodd Sgweiar Bodwrdda am y teithiau hyn a'i gyhuddo o smyglo halen. Gwadodd Huw y cyhuddiad a dechreuodd feddwl bod y sgweiar yn deall mwy am smyglo halen nag a ddywedai.

Un noson, sylwodd Huw ar long weddol fawr yn hwylio i gyfeiriad Aberdaron. Brysiodd i'r pentref ac ymhen ychydig gwelodd griw o ddynion yn dod allan o dafarn y Llong a'r sgweiar yn eu mysg. Glaniodd y llong ar y traeth ac aeth y dynion ati i ddadlwytho sachau a'u cario i'r dafarn.

Dychwelodd Huw i Aberdaron y diwrnod canlynol a bachodd ar gyfle i sleifio i'r seler ble canfu mai halen oedd yn y sachau. Gwyddai'n awr fod y sgweiar yn ynad heddwch ac yn smyglwr ar yr un pryd!

Penderfynodd Huw y byddai'n mynd ati i smyglo halen ei hun a'i werthu i'r bobl yn rhatach nag y gwnâi'r sgweiar. Cafodd gymorth llawer o'r trigolion i wylio'r traethau iddo rhag i'r Cyllid ei ddal. Byddai'n glanio halen weithiau ym Mhorth Ysgo, dro arall ym Mhorth Cadlan, Porth Meudwy, Porth Ferin, Porthor neu ar draeth Aberdaron.

Daeth y sgweiar i glywed am ei gampau a rhoddodd wybod i ddynion y Cyllid. Cafodd Huw ei atal sawl gwaith ond yn ffodus iddo, roedd bob tro wedi cael cyfle i guddio'r halen yn y myrdd o ogofâu ar arfordir Llŷn. Fodd bynnag, un noson cafodd ei ddal yn glanio ar draeth Aberdaron. Roedd dynion y Cyllid wedi bod yn cuddio yn seler y Llong ers deuddydd yn disgwyl amdano. 'Oes gen ti halen yn y cwch?' gofynnwyd iddo. 'Oes,' atebodd ond wrth iddynt gyrraedd y cwch, agorodd Huw gaead ar ei gwaelod a llifodd y dŵr i mewn i doddi'r halen.

Cadwai halen nid yn unig mewn ogofâu ond hefyd yn naflod ei dŷ. Roedd wedi siarsio'i blant – Ifan a Blodwen – i beidio dweud gair wrth neb ond un diwrnod, yn ffair bentymor Aberdaron, syrthiodd Blodwen wrth ddawnsio a tharo'i phen. Cafodd ei chario i ffermdy cyfagos a phan ddihunodd meddyliodd mai gartref yr oedd hi a gwaeddodd yn ffwndrus, 'Nid i'r daflod!'.

Clywodd un o ddynion y sgweiar hyn ac amheuodd yn syth mai yno y cadwai Huw Andro ei halen. Carlamodd am Fodwrdda a brysiodd Huw ac Ifan adref. Eiliadau'n ddiweddarach cyrhaeddodd dynion y Cyllid ond cafodd Huw gyfle i daflu dŵr dros y tân a'i ddiffodd nes nad oedd hi'n bosib i'r swyddogion weld na gwneud dim. Bu'n rhaid iddynt fynd ar frys i ffermdy Ysgo i gael tân yn eu llusernau a rhoddodd hynny gyfle i Huw gario'r sachau allan i le diogel – a'u cuddio'n ddiweddarach yn Eglwys Llanfaelrhys. Pan ddychwelodd dynion y Cyllid efo'u llusernau a chwilio'r tŷ, doedd dim gronyn o halen yno.

Dywedir i Huw Andro fynd i Iwerddon unwaith a phan aeth ei gyd-deithiwr i ryw dŷ i brynu halen, roedd yno un a gredai ei fod wedi cael ei witsio. Dywedwyd wrth hwnnw y gallai Huw Andro ei wella. Galwyd ar Huw i'r tŷ ac adroddodd y pennill hwn uwchben y claf, fel geiriau hud:

Mi ddois i yma o wlad bell,
Os nad ei di'n waeth, 'na i mo'not yn well;
Cawn i olwg unwaith ar Fynydd y Rhiw,
Waeth gen i di'n farw mwy nag yn fyw.

Pan ddychwelodd i Iwerddon i gael rhagor o halen,
cafodd Huw groeso twymgalon gan y Gwyddel gan fod
y gŵr wedi gwella'n llwyr.

Dyma bennill a arferid ei hadrodd ym Mhen Llŷn am
Huw Andro:

Mae'r hanes i'w glywed ar wefus y gwynt
Uwch cerrynt glannau Llŷn,
Huw Andro yw'r arwr
Huw Andro'r hen smyglwr
A drechodd y sgweiar ei hun.

## Catherine Lloyd

Er bod llawer iawn o ferched yn helpu i guddio nwyddau
anghyfreithlon, ychydig iawn oedd â rhan flaenllaw yn y
gwaith.

Tafarnwraig y *Ferry Inn* ym Mhorth Tywyn oedd
Catherine Lloyd a hi oedd arweinydd y smyglwyr lleol.
Mae'n debyg mai hi fyddai'n cyflenwi'r arian i brynu'r
nwyddau anghyfreithlon ac yn eu storio yn ei thafarn.

Yn y ddeunawfed ganrif, llongau cario glo o Gastell-
nedd a ddefnyddid gan amlaf i ddod â'r nwyddau i'r
ardal gan eu bod yn masnachu ag Iwerddon. Yn 1726,
pan gipodd dynion y tollau frandi a gwin o un o'r llongau

hyn, aeth rhai o ddynion Catherine Lloyd i achub eu nwyddau gan roi andros o gurfa i'r swyddog oedd yn eu gwarchod.

Erbyn 1730, roedd y dafarn wedi newid ei henw i *Bretton Ferry* ond roedd Catherine Lloyd yn dal yno. Yna, un diwrnod, gwnaeth gamgymeriad:

> *Edward Dalton . . . Stop'd at the publick house to drink a Pint of ale, the woman of ye house, one CATHERINE LLOYD a widdow not suspecting him to be an officer bro't out the s'd goods and offer'd the same to sale as India Goods, moreover told they were RUN GOODS she had secured the night before . . . Said Widdow is very well to pass in ye world and Suppos'd to have All Her Riches by Running of Goods for SHE is an old offender and NOTED SMUGGLER.*

Parhaodd smyglo yn yr ardal am ganrif arall, a merched yn dal i reoli'r fasnach. Yn 1758 derbyniodd dynion tollau Porth Tywyn lythyr yn nodi enwau pedair gwraig a oedd wedi mynd o Gastell-nedd i Bridgwater yng Ngwlad yr Haf i brynu te ar gyfer ei smyglo.

## John Jones

Capten y *Catherine*, brigantin 140 tunnell o'r Bermo, oedd John Jones a weithiai i'r masnachwr David Galway a oedd â chanolfannau yn Roscoff, Llydaw a Port Rush, Iwerddon. Roedd gan Galway fusnes llewyrchus yn smyglo tybaco i Ffrainc a brandi o Ffrainc i Brydain.

Gellid dod â nwyddau i mewn i borthladdoedd a'u cadw yn y tolldy, a phe eid â nhw allan o'r wlad o fewn chwe mis nid oedd yn ofynnol talu treth arnynt. Dyna a wnâi masnachwyr fel Galway. Oherwydd bod gan gwmni'r *India Company* fonopoli ar nwyddau tybaco yn Ffrainc, roeddent yn ddrud ac ar adegau ceid llawer o smyglo tybaco i'r wlad. Smyglai John Jones faco i Ffrainc a dod â brandi adre i Gymru ac i Loegr.

Ar ei fordaith olaf roedd yn cario tybaco o Lerpwl i Bayonne a Lorient ond cafodd ei ddal mewn stormydd garw a methodd â glanio'i gargo ar y traethau. Difrodwyd y *Catherine* yn y stormydd ac fe'i gorfodwyd i hwylio i Lorient, ac yno ym mis Mehefin 1791 y cafodd John Jones ei arestio.

## Gwrachod Llanddona

Glaniodd teulu mewn cwch di-rwyf, di-lyw ar draeth Llanddona, Môn, rhywbryd yn y ddeunawfed ganrif. Credir eu bod wedi cael eu gorfodi i adael Iwerddon, am eu bod yn wrachod o bosib. Yn ôl y sôn nid oeddent yn siarad Cymraeg na Saesneg, dim ond Gwyddeleg. Prin iawn yr oeddent yn cymysgu â thrigolion Llanddona ac am genedlaethau buont yn priodi drwy'i gilydd gan barhau i siarad Gwyddeleg.

O fewn dim i gyrraedd Môn dechreuodd y dynion gynorthwyo smyglwyr yr ardal i gludo nwyddau anghyfreithlon o Ynys Manaw ac wedi iddynt hel dipyn o arian, aethant ati i wneud y gwaith eu hunain. Nid y bobl leol oedd yr unig rai a oedd yn eu hofni, oherwydd nid aethai dynion y Cyllid ar eu holau ar chwarae bach chwaith. Credid pe byddai un o'r teulu'n cael ei ddal, y byddai'n rhyddhau pry du a gadwai mewn hances a byddai hwnnw'n hedfan yn syth i lygad yr un fyddai wedi ei ddal gan wneud drwg parhaol i'w olwg.

Bu'r teulu yn smyglwyr llwyddiannus am genedlaethau gan ddibynnu ar gyfuniad o godi ofn drwy'r melltithio honedig ac adnabyddiaeth drylwyr o arfordir dwyrain Môn i'w cadw rhag gŵyr y tollau ac i gael llonydd gan bawb arall.


## Boaz Pritchard

Groser cefnog o Gaernarfon a pherchennog slŵp fechan o'r enw'r *Lively* oedd Boaz Pritchard. Defnyddiai'r llong i deithio cyn belled ag Ynysoedd y Sianel i nôl afalau a nwyddau eraill i'w warws. Ond nid nwyddau cyfreithlon yn unig a gâi eu cludo yn y *Lively*, oherwydd byddai casgenni gwirodydd wedi eu cuddio ymysg y cargo. Daeth Brandi Boaz yn adnabyddus drwy'r ardal, o Gaernarfon i Lŷn. Ond ni fu pob taith yn llwyddiannus iddo. Cafodd ei ddal gyntaf oddi ar Borth Dinllaen yn 1828 ac eto yn 1834 – ond bob tro, rhywsut neu'i gilydd, llwyddodd i berswadio'r awdurdodau i'w ryddhau. Parhaodd â'r smyglo a dywedir iddo fynd â thros chwe chan casgen o frandi i Ynys Enlli yn 1835.

Roedd sibrydion yn yr ardal – yng Nghaernarfon yn bennaf – am hers a grwydrai'r strydoedd liw nos. Roedd hyn wedi codi ofn ar nifer o drigolion y dref, yn enwedig am fod rhai yn honni y gallech gael eich melltithio o weld yr hers ac mai chi fyddai'n cael eich cario ynddi nesa! Ond mewn gwirionedd, hers Pritchard oedd hi ac fe'i defnyddiai i ddosbarthu brandi anghyfreithlon yn y dref.

Daeth diwedd ar ei smyglo yn 1838 pan gafodd ei ddal unwaith eto ger Porth Dinllaen a chymerwyd ei long oddi arno. Pan chwiliwyd ei warws yng Nghaernarfon daethpwyd o hyd i gant namyn un casgennaid o frandi – ynghyd â'r hers ac arch wag! O ganlyniad treuliodd Boaz Pritchard gyfnod hir mewn carchar yn gosb am yr holl smyglo.

## Stori garu a stori smyglo yn un . . .

Braich Celyn yw un o dai hynaf Aberdyfi. Ceir stori leol bod un o wŷr amlycaf yr ardal yn byw yno ar un amser ac yn ei ddefnyddio i gadw nwyddau anghyfreithlon. Cymaint oedd smyglo yn yr ardal nes y gyrrodd yr awdurdodau slŵp o Lundain i geisio'i atal. Yn fuan wedi iddo cyrraedd yr ardal cyfarfu capten y slŵp â merch hardd y bonheddwr a'i henw oedd Elfrida. Syrthiodd y ddau mewn cariad a buont yn cyfarfod yn aml ar y traeth ac yn y coedydd cyfagos.

Ond nid oedd y capten wedi anghofio pam y'i gyrrwyd i Aberdyfi a byddai'n holi Elfrida am weithgareddau ei thad. Un noson, clywodd y capten bod sgwner o'r Iseldiroedd yn llawn gwirodydd anghyfreithlon ar fin glanio a gwyddai y byddai tad Elfrida'n dod i lawr at y llong i'w casglu. Gosododd ei ddynion i wylio'r llwybrau o Fraich Celyn i'r traeth tra aeth yntau i ddweud wrth Elfrida y byddai'n rhaid iddo adael yr ardal cyn hir, a phe byddai ei thad yn cael ei arestio na fyddai'n bosib iddynt gyfarfod eto.

Nid oedd Elfrida eisiau iddo'i gadael wrth gwrs ac awgrymodd pe bydden nhw'n priodi y byddai hi'n cael mynd gydag ef. Cytunodd yntau a galwyd offeiriad i Fraich Celyn i'w priodi yn y dirgel. Ond yn ystod y gwasanaeth, daeth tad Elfrida a'i ddynion i'r golwg o dwnnel cudd yn arwain i'r traeth. Roeddent wedi dianc o afael dynion y Cyllid ac roedd y tad wedi gwylltio gymaint o weld ei ferch gyda'r capten nes iddo godi wal newydd yn un rhan o'r tŷ a chau'r ddau y tu ôl iddi.

Hyd y dydd heddiw mae'r wal ddwbl yn dal yn y tŷ ac mae pobl yn taeru eu bod, ar adegau, yn clywed y ddau gariad yn sgrechian y tu ôl iddi. Tua chanrif yn ôl, wrth wneud gwaith adnewyddu ar Fraich Celyn, cafwyd hyd i esgyrn a modrwy aur yn y wal. Yn ôl y sôn mae Braich Celyn wedi ei gysylltu â thŷ arall, sef Trefi, sydd ar lan yr aber. Byddai'r tŷ hwnnw hefyd yn cael ei ddefnyddio gan smyglwyr ond yn ddiweddarach fe'i cymerwyd at ddefnydd gwylwyr y glannau. Yn ôl y sôn daethant o hyd i'r twnnel cudd a'i gau ac nid oes dim o'i olion erbyn heddiw.

## Madam Wen

Daeth Einir Wyn yn enwog fel cymeriad yn nofel gyffrous William D. Owen '*Madam Wen*' ac fe'i portreadir fel dipyn o Robin Hood ym Môn yn yr ail ganrif ar bymtheg. Ni wyddys i sicrwydd os oes sail hanesyddol i'r stori hon ond mae ymchwil diweddar wedi cadarnhau'r traddodiad mai ar Margaret Wynne, gwraig Robert Williams, sgweier y Chwaen Wen tua chanol y ddeunawfed ganrif y seiliwyd Einir Wyn. Ceir portread byw iawn yn y nofel o weithgareddau smyglwyr y cyfnod.

# Smyglo Heddiw

Daeth oes aur gyntaf smyglo i ben ynghanol y bedwaredd ganrif ar bymtheg yn sgil y 'farchnad rydd', pan ddiddymwyd tollau ar fewnforion bron yn gyfan gwbl. Fodd bynnag, atgyfodwyd y fasnach anghyfreithlon yn yr ugeinfed ganrif, yn enwedig ar ôl y ddau ryfel byd pan oedd yn adeg o gyni a nwyddau o bob math yn brin. Yn hynny gwelwn yr hen batrwm yn ail sefydlu ei hun, gyda lefel y smyglo yn dilyn lefelau'r dreth ar wahanol nwyddau yn agos iawn – y mwya'r dreth y mwya'r smyglo.

Yn dilyn y Rhyfel Byd Cyntaf atgyfodwyd tollau ym Mhrydain ar lawer o fewnforion i amddiffyn yr economi gartref yn bennaf drwy gyfnod o ddirwasgiad enbyd. Yn ogystal â smyglo tybaco, sigarèts, gwirodydd, persawr, aur, camerâu, binociwlars, watsus o'r Swisdir a nwyddau moethus eraill daeth mewnforio bwydydd, tecstiliau a phob mathau o offer yn ddi-doll yn broblem i'r awdurdodau.

Rhaid cofio y byddai sawl mantais i'r un fyddai'n delio mewn nwyddau wedi'u smyglo ac yn eu gwerthu.

Byddai nid yn unig yn osgoi'r doll ar fewnforion ond hefyd yn osgoi trethi ar brynu a gwerthu (TAW yn ddiweddarach), heb sôn am dreth incwm ar yr elw – dim ond iddo fedru cadw'r trosiant ariannol o olwg y dyn treth.

Byddai twyllo efo'r gwaith papur yn digwydd wrth fewnforio yn ogystal. Hynny yw, byddid yn cyflwyno ffigyrau ffug am y cargo ei hun i roi'r argraff fod llai o nwyddau yn cael eu mewnforio nag oedd yno go iawn. Rhaid oedd i'r swyddogion tollau fod yn fanwl a chydwybodol wrth gyfri yr hyn a ddeuai drwy eu dwylo. Ond, gyda'r holl draffig drwy'r porthladdoedd, meysydd awyr a'r twnnel dan y Sianel erbyn hyn, mae'n waith amhosib. Samplo cyfran yn unig y gellir ei wneud, gan obeithio bod yr amcan yn gywir o ran maint y cargo a bod yr hyn sydd ar y label yn iawn!

Ceid smyglo ar raddfa fawr gan gangiau proffesiynnol, yn ogystal ag ar raddfa lai wrth i lawer o gyflenwadau bychain o faco a gwirodydd gyrraedd i'r lan heb eu datgelu i'r swyddogion tollau. Ond nid morwyr a theithwyr yn unig oedd wrthi. Yn niwedd y 1930au byddai un o beilotiaid porthladd Abertawe yn mynd â'i nai ifanc gydag ef ar yr hen stemar peilot fechan, y *Roger Beck* i gyfarfod llongau oddi ar Pen Mwmbwls. Byddai'r peilot yn hebrwng y llong yn saff i'r harbwr tra dychwelai'r stemar fach i'r harbwr hebddo – ond nid cyn i'r bachgen ifanc dderbyn parsel gan ei ewythr i fynd i'r lan â swllt yn ei boced. Ar y ffordd yn ôl byddai un o'r criw yn ei rwyfo i'r lan a'i ollwng ar y pier yn y Mwmbwls a thalai am y tram gartre gan gadw'r newid o'r swllt iddo'i hun. Baco di-doll oedd yn y parsel.

Wedi'r Ail Ryfel Byd daeth sawl ffactor at ei gilydd i wneud y cyfnod yn un o'r rhai gwaetha ar gyfer smyglo ers oes aur y ddeunawfed ganrif. Roedd prinder eithriadol o bopeth heblaw anghenion sylfaenol a pharhaodd dogni mewn grym tan 1954. Roedd cannoedd o filoedd o ddynion ifainc yn gadael y lluoedd arfog ac yn chwilio am rywbeth i'w wneud – a nifer helaeth ohonynt wedi gwasanaethu yn y Llynges. Roedd modd prynu cyn-gychod y Llynges yn rhad hefyd, a doedd fawr o drefn chwaith ar wylwyr y glannau gan fod cymaint o'r swyddogion wedi gorfod ymuno â'r Llynges adeg y rhyfel a'r gwasanaeth heb gael ei godi'n ôl ar ei draed yn iawn. Watsys, gwirodydd, tybaco, dillad, persawr, setiau radio transistor a binocwlars oedd y nwyddau a gâi eu smyglo'n bennaf yn ystod y cyfnod hwn. Un enghraifft yn unig yw'r cyflenwad o 13,000 o watsys o'r Swisdir ganfyddwyd mewn cuddfan ar y *Dawn Approach* pan laniodd ym Mhorthladd Llundain yn 1951.

Yn naturiol, fel y newidiai'r oes, fe newidiai'r smyglwr yntau ei guddliw, fel camelion, i fanteisio ar farchnadoedd newydd gan ddyfeisio dulliau newydd a gwreiddiol iawn ar adegau i drosglwyddo a dosbarthu ei 'contraband'.

Gyda'r cynnydd aruthrol mewn teithio rhyngwladol ers y 1960au, daeth yn llawer anoddach i adnabod y smyglwyr modern. Gall fod yn deithiwr digon cyffredin ei olwg ar awyren sy'n glanio ym maes awyr Caerdydd, ond fod ganddo heroin yn ei diwb o stwff llnau dannedd neu efallai ei fod wedi llyncu nifer o gondoms yn llawn cocên i'w casglu yfory o'r tŷ bach. Gall fod yn yrrwr lori yn dod drwy'r twnnel o Ffrainc efo dwsin o fewnfudwyr neu gyflenwad o ynnau llaw mewn cuddfan yn y cefn, neu yn berchennog cwch ddrudfawr yn y Marina yng Nghonwy . . . ?

Ar y cyfan, er bod dynion garw iawn yn eu mysg, delwedd ramantus sydd i hen smyglwr y ddeunawfed ganrif yn glanio nwyddau yn y dirgel i ddwylo croesawgar cymuned a gawsai ei gormesu gan dollau anghyfiawn y Goron. Ond, yn gynyddol yn ystod hanner olaf yr ugeinfed ganrif, gwelwn batrwm newydd, mwy sinistr yn datblygu, sef smyglo i gyflenwi'r galw cynnyddol am nwyddau llawer llai derbyniol megis cyffuriau meddal a chaled, arfau, pornograffi, mewnfudwyr anghyfreithlon ac anifeiliaid neu adar prin.

Wrth i'r arfer o smygu canabis ddod yn boblogaidd yng nghanol y 1960au, daeth smyglo'r cyffur hwnnw – a chyffuriau caled yn ddiweddarach – yn fusnes mawr iawn.

Ysgogiad pwysig i'r smyglwyr cyffuriau oedd bod graddfa'r elw yn llawer uwch nag a geid ar nwyddau eraill. Ychydig bunnoedd a gaiff y ffermwr canabis am ei gnwd yn Moroco, Twrci, Yr Aifft neu Pacistan ond fe'i gwerthir drwy rwydwaith o ddilars yng nghlybiau Lerpwl a Manceinion neu ymysg myfyrwyr Bangor yn y 1970au am gyfanswm o rai cannoedd o filoedd o bunnau. Felly, am ei fod mor werthfawr byddai cyflenwad bychan yn dod ag elw sylweddol.

Mae byd o wahaniaeth rhwng smyglo cyffuriau a smyglo nwyddau traddodiadol, mwy 'diniwed'. Yn achos y nwyddau diniwed megis gwirodydd, disl, tybaco neu watsus dim ond osgoi'r tollau sy'n anghyfreithlon. Yn y ddeunawfed ganrif, disgrifiodd Charles Lamb y smyglwyr fel 'yr unig leidr gonest', a ystyriai osgoi tollau anghyfiawn yn ddyletswydd, ac roedd yr agwedd honno yr un mor amlwg yn y 1960au pan ddywedodd un smyglwr nad oedd sôn am smyglo yn y Deg Gorchymyn ac nad oedd felly yn groes i gyfraith Duw!

Mae'r farchnad gyffuriau, ar y llaw arall, yn anghyfreithlon bron bob cam o'r ffordd am fod y cyffuriau caled yn arbennig yn dinistrio cymaint o fywydau ac yn gorfodi'r adict i droi at dorcyfraith, neu buteindra, i dalu am ei ffics nesa.

Tyfir rhywfaint o'r cyffuriau hyn yn gyfreithlon, ond o dan reolaeth lem. Ystyrier, er enghraifft, yr opiwm a dyfir yn Nhwrci ar gontract i'r llywodraeth i gynhyrchu meddyginiaethau. Aiff tua 90% ohono i wneud codeine a phoenladdwyr tebyg a'r gweddill ar gyfer morffîn meddygol. Ond bydd cyfran o'r cnwd yn mynd drwy sianelau eraill. Dyma gychwyn ar siwrnai gudd drwy Syria a Libanus i borthladd Beiruit, neu aiff drwy Fwlgaria i wledydd y Gymuned Ewropeaidd. Erbyn diwedd ei siwrnai bydd wedi cynyddu yn ei werth bob cam o'r daith o'r degau o ddoleri am un cilo o opiwm crai a gaiff y ffarmwr i'r miliynnau y gall yr heroin gorau ei ennill o'i ddosbarthu o Lundain i Langefni.

Gyda'r angen i ddiogelu'r cyffuriau hyn rhag awdurdodau sawl gwlad ar eu taith, mae'n rhaid cael trefn eithriadol o soffistigedig sy'n dibynnu ar ymddiriedaeth lwyr yn y rhedwyr a'r 'mylod' sy'n rhan o'r gyfundrefn drosglwyddo. Dyma pam mai 'teuluoedd' neu 'frawdoliaeth' o ddrwgweithredwyr hir sefydliedig, fel y Maffia, Cosa Nostra, Tong ac yn y blaen sy'n bennaf gyfrifol am y fasnach. Erbyn hyn byddant yn cydweithredu â mudiadau mwy politicaidd eu naws, fel gwrthryfelwyr Colombia sy'n ymwneud â chynhyrchu cocên, a hyd yn oed y Taliban, ac eraill sydd a'u bryd ar danseilio diwylliant llygredig y gorllewin.

Yn y 1960au-1970au, cipio cyflenwadau o gyffuriau ar eu ffordd i ogledd America a wnai Gwasanaeth y Tollau yn bennaf ond buan y cynyddodd nifer y rhai oedd yn gaeth i gyffuriau caled yn ninasoedd Prydain nes bod y gwledydd hyn, gan gynnwys pentrefi yng nghefn gwlad Cymru erbyn hyn, yn faes toreithiog i'r gangiau rhyngwladol sy'n ymwneud â'r fasnach.

Un o smyglwyr cyffuriau rhyngwladol amlycaf y 1970au a'r 1980au oedd y Cymro o Fynydd Cynffig ger Pen-y-bont ar Ogwr, Howard Marks. Roedd yn gweithredu'n fyd-eang, yn bennaf yn Ewrop a Gogledd America a chredir ei fod yn gyfrifol am ddosbarthu gwerth £1 biliwn o ganabis. Cafodd ei ddal yn 1995 a'i garcharu am 25 mlynedd yn America ond fe'i rhyddhawyd wedi treulio dim ond saith mlynedd o dan glo. Dechreuodd smyglo cyffuriau yn 1970 a dywedir ei fod ar un adeg yn smyglo hyd at hanner can tunnell o ganabis ar y tro, yn bennaf o Bacistan a gwlad Thai, yn gweithredu mewn pedair gwlad ar ddeg a bod ganddo gysylltiadau ag *MI6*, y *CIA*, yr *IRA* a'r *Maffia*. Yn ei hunangofiant, dywed iddo ddefnyddio 43 o enwau ffug, 89 o linellau ffôn a 25 o gwmnïau yn masnachu ar draws y byd. Fe'i daliwyd ym Majorca gan Asiantaeth Gyffuriau America ym mis Mehefin 1988. Marks oedd ar ben y rhestr o'r smyglwyr yr oeddent am eu dal a buont ar draws y byd ers cryn amser ar ei ôl. Ar un amser, credir bod Marks yn gyfrifol am hyd at ddeg y cant o'r canabis a oedd yn cael ei smyglo drwy'r byd a'i fod wedi dod â digon ohono i wledydd y Gorllewin i wneud ugain miliwn o *joints*.

O'r Iseldiroedd i dde-ddwyrain Lloegr y deuai'r rhan fwyaf o'r cyffuriau anghyfreithlon ar y dechrau, ond yn 1992 llwyddodd swyddogion y tollau yn Rosslare, Iwerddon i gipio gwerth £3 miliwn o ganabis ar ei ffordd i Abergwaun – a hynny oherwydd bod y smyglwyr wedi troi eu golygon at Fôr Iwerddon bellach gan ei bod yn anoddach erbyn hynny i ddod â nwyddau anghyfreithlon drwy borthladdoedd arfordir de a dwyrain Lloegr.

Fel yn yr hen ddyddiau, gwelwyd adfywiad mewn smyglo o Iwerddon i Brydain. Y tro hwn yr *IRA* oedd y tu cefn i smyglo nwyddau megis tanwydd, sigarèts, gynnau, moch a gwartheg. Dywed pennaeth y *Special Branch* ym Melffast, Bill Lowry, i aelodau o'r *IRA* sefydlu cysylltiadau â gangiau ym Mhrydain pan oeddent mewn carchardai yno. O ganlyniad, ataliwyd sawl lorri yn cario disl di-dreth ym mhorthladd Lerpwl, er enghraifft wedi'i guddio mewn llwyth o goed. Honnir bod hyd at bum miliwn litr o danwydd wedi cael ei smyglo i Brydain gan ddim ond un o unedau'r *IRA* yn y 1990au. Un dull cyfleus o drosglwyddo olew tanwydd i Ogledd Iwerddon o'r Weriniaeth oedd gosod pibell gudd o danc ar un ochr i'r ffin i danc ar yr ochr arall i fanteisio ar wahaniaethau mewn pris.

Yn amlwg roedd yr *IRA* wedi dysgu llawer wrth smyglo arfau a ffrwydron yn yr 1980au, ac yn cadw at eu harfer drwy smyglo nwyddau eraill erbyn hyn. Mae'r *IRA* yn smyglwyr gyda byddin y tu cefn iddynt.

Darganfuwyd fod peth cocên yn dod o gryn bellter i

Gaergybi. Ym mis Tachwedd 1991, cipiwyd gwerth £10 miliwn o'r cyffur mewn llwyth o fwyn alwminiwm a oedd ar ei ffordd i waith alwminiwm Môn o India'r Gorllewin. Roedd hanner can cilo o'r cyffur wedi'i guddio mewn caban a chyflenwad bychan ohono yn esgidiau un o'r criw.

Fel y byddai'r hen smyglwyr yn cuddio'u poteli yn eu hesgidiau uchel, dyna hefyd a geisiodd morwr o India'r Gorllewin ei wneud. Yn 1992, cafodd swyddogion y tollau o hyd i werth £73,000 o grac cocên yn esgidiau uchel maint 11 morwr a oedd wedi cyrraedd porthladd y Barri ar long cario bananas.

Weithiau darganfyddwyd dulliau llawer mwy gwreiddiol o guddio nwyddau: beth am y ferch ifanc fu'n ddigon anffodus i golli ei llygad mewn damwain car ond yn manteisio ar hynny drwy smyglo diamwndau drwy'r tollau yn ei llygad wydr? Cafwyd hefyd gyflenwad sylweddol o ganabis o Moroco wedi ei roi mewn lemwnau plastig a'u cuddio ymysg cargo o lemwnau go iawn. Digwyddodd hynny yn yr 1960au – cyn i'r gwasanaeth tollau ddechrau defnyddio cŵn oedd wedi'u hyfforddi'n arbennig i synhwyro cyffuriau. Dull cyffredin yw cuddio nwyddau mewn *containers* o gig neu fwydydd wedi'u rhewi. Golygai hynny y byddai'n rhaid i'r swyddogion tollau fod yn weddol sicr o'u pethau cyn mynnu archwilio cyflenwad gwerth chwarter miliwn o bunnau o gywion ieir wedi'u rhewi, yn enwedig am y byddai'n drafferthus a chostus i'w hail-rewi wedyn.

Dull o guddio'r contraband gan smyglwyr y ddeunawfed ganrif oedd ei suddo o'r golwg yn nŵr y môr, a hynny un ai'n fwriadol er mwyn ei gasglu ar adeg fwy cyfleus, neu pan fyddai *cutter* y Cyllid ar eu gwarthaf. Efelychiad o'r arfer hwnnw y tybir iddo ddigwydd pan ddaethpwyd o hyd i werth £9 miliwn o ganabis mewn rhwydi cychod pysgota Llydewig yn y môr oddi ar arfordir gorllewin Cymru yn 1993 ac 1994. Nid wedi cael ei guddio yr oedd hwn, fwyaf tebyg, ond wedi cael ei daflu dros ochr llong gan rywun rhag i'r awdurdodau eu dal.

Ond nid traffig unffordd yw smyglo. Dywed yr awdurdodau bod llawer o gyffuriau yn cael eu smyglo drwy Gaergybi i Iwerddon – a hynny oherwydd bod pris heroin, cocên, ecstasi a chanabis yn uwch yn y fan honno. Ar un adeg, roedd yr awdurdodau'n cipio un llwyth sylweddol bob mis. Yn 2002, adroddodd y *Garda*, heddlu Iwerddon, iddynt gipio cyflenwad gwerth £1.6 miliwn yn swydd Meath – a hwnnw wedi'i guddio mewn llwyth o win. Y gred yw bod y cyffuriau hyn wedi dod i Iwerddon drwy Gaergybi.

Daw llawer o'r nwyddau o'r Cyfandir, yn sigarèts a chyffuriau. Fel yn yr hen ddyddiau, y gwahaniaeth rhwng prisiau ar y Cyfandir a phrisiau ym Mhrydain – a hynny'n bennaf oherwydd trethi – sydd i gyfrif am y ffaith fod cymaint o sigarèts yn cael eu smyglo yma. Mae pris tybaco ym Mhrydain, oherwydd trethi uchel, bron bum gwaith yr hyn ydyw yng ngwlad Belg a dywedir bod 80% o'r holl dybaco a ddefnyddir i rowlio sigarèts yn y wlad hon wedi cael ei smyglo ac yn cael ei werthu'n rhad mewn tafarnau a chlybiau.

Yn Nhrefor ger Llangollen, yn y flwyddyn 2000, cafodd chwe dyn – Almaenwr, Groegwr, dau Sais a dau Gymro eu dal gyda 5,410,000 o sigarèts a £147,000 o arian parod yn eu meddiant. Roedd y sigarèts wedi cael eu cuddio mewn llwyth o ddŵr soda ar lorri o'r Almaen.

Honnir bod gang arall gafodd eu dal yn ardal Wrecsam ym mis Rhagfyr 2000 wedi smyglo hyd yn oed mwy o sigarèts i Brydain. Pan y'u daliwyd roedd ganddynt 118 miliwn o sigarèts a thros £3 miliwn o arian parod yn eu meddiant a dywedir eu bod wedi defnyddio sied mewn gardd gefn tŷ cyngor yn Wrecsam i gyfri'r arian. Yn ôl yr awdurdodau, roedd y llywodraeth wedi colli £16 miliwn o dreth oherwydd gweithgareddau anghyfreithlon y gang hon a bu swyddogion y tollau yn cadw golwg ar borthladddoedd, meysydd awyr, traffyrdd a stadau diwydiannol am dri mis i gael digon o dystiolaeth. Câi'r sigarèts eu cludo yma mewn lorïau, wedi'u cuddio mewn llwythi o ddodrefn, deunyddiau gwydr, llysiau ac orennau. Yn ogystal â'r rhai a gafodd eu dal yn Wrecsam, arestiwyd 16 arall a chipiwyd 13.8 tunnell o dybaco o 29 lorri ar y Cyfandir.

Dull arall o osgoi treth yw mynd i nôl nwyddau – sigarèts ac alcohol yn bennaf – i Calais a dod â chyflenwadau yn ôl drwy'r twnnel o Ffrainc. Ni chodir toll os yw'r nwyddau at ddefnydd personol yn unig, ond os cânt eu gwerthu, mae hynny'n groes i'r gyfraith. Y broblem i'r Gwasanaeth Tollau a Chyllid yw profi bod y nwyddau hyn yn cael eu gwerthu'n ddi-doll ar ôl iddynt gyrraedd yma. Mor boblogaidd yw'r dull hwn o fewnforio tybaco ac alcohol nes y gelwir y rhai sy'n ymwneud â'r busnes yn 'Frigâd y Faniau Gwynion'.

Un enghraifft yn unig o'r math hwn o smyglo yw'r achos a ddaeth i'r amlwg mewn achos llys ym Mehefin 1999 pan gafwyd 10 (o lannau Dyfrdwy a Môn) yn euog o werthu nwyddau o law i law, drwy rwydwaith o ddosbarthwyr lleol, gan achosi colled tollau i'r Trysorlys o £1 miliwn drwy eu gweithrediadau anghyfreithlon.

Yn ne Cymru, yn niwedd 2002, daliwyd gang a oedd yn smyglo cocên ac ecstasi o'r Iseldiroedd i Brydain. Dywedir y gellir cynhyrchu un dunnell o gocên am rai cannoedd o bunnau ond fod ei werth erbyn iddo gyrraedd Prydain yn gannoedd o filiynnau. Cafodd y gang eu dal wedi i gwmni cyfnewid arian yn Llundain hysbysu'r awdurdodau fod un ohonynt yn cyfnewid hyd at £300,000 ar y tro am *guilders*. Darganfuwyd fod yr arian yn cael ei ddefnyddio i brynu'r cyffuriau. Honnir bod y gang wedi gwneud elw o £3 miliwn o werthu'r cyffuriau mewn cwta ddwy flynedd. Cafodd wyth aelod o'r gang – a oedd yn gyfrifol am ddosbarthu'r cyffuriau drwy dde Cymru a chyn belled â Lerpwl a Llundain – eu carcharu am gyfanswm o 70 mlynedd.

Eto yn 2002 cafwyd bod dau ddyn o Ddyffryn Ardudwy yn rhan o gang a oedd wedi smyglo hyd at £55 miliwn o gocên o Dde America i Brydain – a hwnnw wedi cael ei guddio mewn cydrannau peiriannau symud baw. Hwn oedd y llwyth mwyaf erioed o gocên a gipiwyd ar dir Prydain.

Ond cipwyd y cyflenwad mwyaf yn y byd o'r cyffur hwn ym Medi 2006 pan ddaliodd un o longau'r Llynges Brydeinig, y *Wave Ruler*, smyglwyr ger Barbados efo cocên fyddai'n werth £500 miliwn ar y strydoedd.

Yn union fel ag yr oedd cwmnïau ar y Cyfandir yn gwerthu nwyddau i smyglwyr y ddeunawfed ganrif, yn y flwyddyn 2000 cyhuddodd yr Ysgrifennydd Diwydiant a Masnach ar y pryd y cwmni tybaco rhyngwladol *British*

*American Tobacco* o fod â rhan mewn smyglo tybaco yn Asia ac America Ladin. Gwadu hyn a wnaeth y cwmni, yn naturiol.

Ar raddfa chydig llai, cafwyd sefyllfaoedd digon doniol ar adegau. Er enghraifft ar ddiwedd y 1970au bu achos Llys yng Nghaergybi yn erbyn stiward o un o'r llongau fferi o Iwerddon oedd wedi ei ddal yn dod ag ychydig mwy o boteli i'r lan yn ddi-doll nag a ddylai. Wedi iddo bledio'n euog a chael dirwy fechan am ei gamwedd gofynnodd Clerc y Llys i'r Ynad, Capten Robertson: 'Ga'i eich cyfarwyddyd am sut i gael gwared o'r dystiolaeth?' A'r ateb oedd 'Meindiwch eich busnes Mr Jones – fe wnaf i gael gwared ar y dystiolaeth!'

Erbyn hyn, mae gweithwyr y tollau yn chwilio am nwyddau ffug sy'n cael eu smyglo i Brydain, a *Viagra* yn eu mysg. Caiff oddeutu chwarter miliwn o dabledi *Viagra* ffug eu cipio yn y porthladdoedd a'r meysydd awyr yn flynyddol erbyn hyn. Ymysg y nwyddau a gipiwyd yn 2003 roedd 108,000 o ddillad yr honnwyd iddynt gael eu gwneud gan *Burberry* a 170,000 o fagiau a nwyddau eraill *Louise Vuitton*. Caiff dillad *Gucci* ffug, wisgi, persawr *Chanel*, ffonau symudol, fideos ynghyd â *CDs* a *DVDs* eu smyglo yma yn ogystal â llawer o ddeunydd budr neu bornograffig fel fideos, llyfrau a ffilmiau. Daw'r nwyddau hyn o'r Dwyrain Pell a'r rheswm am y cynnydd yn smyglo'r math yma o nwyddau yn ôl Christopher Zimmerman o adran tollau y Comisiwn Ewropeaidd, yw bod smyglwyr cyffuriau wedi sylweddoli y gallant wneud mwy o elw o smyglo cilo o gryno-ddisgiau neu fwyd nag o smyglo cilo o gyffuriau meddal – a hynny am lawer llai o gosb. 'Does yr un diwydiant yn ddiogel,' meddai Zimmerman. 'Rydyn ni'n gweld te ffug, gwm cnoi, hyd yn oed wafflau, powdwr golchi ac afalau. Ac wrth gwrs dydy cŵn Gwasanaeth y Tollau ddim wedi eu hyfforddi i chwilio am y nwyddau hyn.' Yn ystod 2004, cipiodd Gwasanaeth y Tollau Prydain dros bum miliwn o nwyddau ffug – cynnydd o 300% ers 2003.

Ond nid nwyddau'n unig sy'n cael eu smyglo i'r wlad. Mae'n wir fod pobl wedi cael eu smyglo i Brydain dros y canrifoedd, yn amrywio o Babyddion yn Oes y Tuduriaid i ysbïwyr yn ystod rhyfel Napoleon a'r ddau ryfel byd. Ond ers diwedd yr ugeinfed ganrif daeth smyglo mewnfudwyr anghyfreithlon â miliynau o bunnau i'r rhai a drefnai iddynt ddod yma yng nghefnau loriau ac ar gychod. Honnwyd bod tŷ bwyta Tsieineaidd yn Aberystwyth yn bencadlys gang a oedd wedi dod â channoedd o bobl i'r wlad, a'r rheiny'n talu hyd at £20,000 yr un. Pobl o Tsieina oedd y mewnfudwyr a gangiau a adwaenir fel y *Snakeheads* sy'n elwa o'u smyglo yma. Honnodd yr awdurdodau yn yr achos llys bod y *Snakeheads* wedi dod â degau o filoedd os nad cannoedd o filoedd o bobl yn anghyfreithlon o Tsieina mewn deuddeng mlynedd. Fodd bynnag bu raid gollwng y cyhuddiadau yn erbyn y tri a arestiwyd yn Aberystwyth am fod â rhan yn yr achos arbennig hwn am fod y dystiolaeth, sef y mewnfudwyr anghyfreithlon a gyrhaeddodd y dref, wedi diflannu!

Ac nid pobl yn unig chwaith. Yn 1994, daethpwyd o hyd i lond sied o ymlusgiaid yng Nghaerdydd. Roedd dros gant o nadroedd, madfallod, aligetors bychain a hyd yn oed darantiwlas yn y sied yn Nhreganna – gwerth hyd at £10,000. Roeddent wedi cael eu prynu ym Mhacistan, eu smyglo i Gaerdydd a'r bwriad oedd eu smyglo i wledydd y Cyfandir i'w gwerthu i gasglwyr neu i'w cadw'n anifeiliaid anwes. Mae masnach o'r fath, yn enwedig mewn adar ac anifeiliaid prin un ai yn waharddiedig neu'n cael ei rheoli'n llym dan gytundeb rhyngwladol CITES.

Eitemau eraill a smyglir i Brydain yw cynhyrchion o anifeiliaid mewn peryg, yn aml ar ffurf cofroddion. Er enghraifft, tlysau a cherfiadau ifori; cregyn a chwrel; bagiau, esgidiau a beltiau o grwyn ymlusgiaid; corn rhinoseros at bwrpas meddygol a dillad o grwyn anifeiliaid sy'n cael eu gwarchod, megis y llewpard a'r teigr. 'Wrth gwrs, rydyn ni'n cipio mwy o'r math yma o nwyddau o feysydd awyr fel Heathrow oherwydd bod cymaint mwy o bobl yn mynd drwy'r maes awyr hwn, ond rydyn ni'n cael rhywfaint drwy Faes Awyr Rhyngwladol Caerdydd,' meddai llefarydd ar ran y Gwasanaeth. 'Weithiau rydyn ni, hefyd, yn canfod anifeiliaid neu ymlusgiaid byw, ond eto drwy'r prif feysydd awyr a phorthladdoedd y daw'r rhain oherwydd bod cymaint yn mynd drwyddynt.'

Yn ôl Gwasanaeth y Tollau, y prif nwyddau a smyglir i Gymru'r dyddiau hyn yw cyffuriau dosbarth A ac C, fel heroin, cocên a chanabis, ac alcohol a sigarèts. Gall y sigarèts fod wedi'u cynhyrchu'n gyfreithlon neu'n anghyfreithlon, ac wrth i Wasanaeth y Tollau ddod yn fwy llwyddiannus wrth gipio rhai a gynhyrchwyd yn gyfreithlon, mae'r smyglwyr fwyfwy yn troi at rai sydd wedi'u cynhyrchu drwy broses chydig yn wahanol a'u pacedu i edrych yn union yr un fath â'r rhai go iawn. Mae

Gwasanaeth y Tollau yn amcangyfrif bod tua 15% o'r holl dybaco – gan gynnwys sigarèts – sy'n cael ei werthu ym Mhrydain yn cael ei smyglo i'r wlad. Dywed y Gwasanaeth y byddai'r ffigwr hwn cymaint â 33% pe na baent yn llwyddo i atal y smyglwyr.

'I atal afiechydon heintus rhag cyrraedd y wlad rydym hefyd yn chwilio am fewnforion anghyfreithlon o gig a bwydydd eraill gwaharddedig a cheir rheolau gwahanol i wahanol wledydd,' ychwanegodd y llefarydd. Mae yna, hefyd, gyfyngiadau ar ddod â hadau a phlanhigion o rai gwledydd rhag iddynt droi allan yn chwyn ymledol.

Dywed y gwasanaeth tollau nad yw'n rhyddhau gwybodaeth ynglŷn â faint o staff sydd ganddynt yng Nghymru na faint o *cutters*, gan eu bod yn symud o un lle i'r llall yn ôl y galw. 'Drwy fod yn hyblyg,' medd y llefarydd, 'gallwn ymateb yn sydyn i unrhyw fygythiad o smyglo drwy Brydain ac wrth gwrs, mae mwy a mwy o gangiau trefnus a soffistigedig yn gweithio ar draws Prydain ac felly mae ein swyddogion yn cynnal ymchwiliadau mewn nifer o leoliadau. Ni fyddai swyddogion ar drywydd gang yn gweithredu yng Nghymru o reidrwydd wedi eu lleoli yng Nghymru.'

# Diweddglo

Fel y gwelsom mae'r arfer o smyglo yn hen iawn ac, yn ei hanfod, wedi newid fawr ddim dros y canrifoedd. Gwir y bu cyfnodau prysurach na'i gilydd a bod y nwyddau eu hunain wedi newid: o halen i heroin, o de i DVDs ac o bupur i bobl. Serch hynny fe arhosodd y cymhelliad yn union yr un peth – sef i wneud elw sylweddol, un ai drwy osgoi tollau neu, fel heddiw, drwy ecsploitio'r galw am nwyddau gwaharddiedig boed yn arfau, pornograffi, nwyddau ffug neu gyffuriau.

Erbyn hyn atgyfododd smyglo i'r un raddfa ag yr oedd yn ei anterth yn ei 'oes aur' gyntaf yn y ddeunawfed ganrif a dechrau'r bedwaredd ganrif ar bymtheg. Trodd y rhod yn gylch cyflawn a daeth geiriau William Morris, y swyddog tollau o Fôn, a ddisgrifiodd ei waith fel 'cath lwyd yn gwylio cannoedd o dyllau llygod ar yr un pryd' yr un mor wir heddiw a phan y'u hysgrifenwyd gyntaf ddwy ganrif a hanner yn ôl. Yn wir mae cymaint haws heddiw i gychod modur bychain cyflym ddod i'r lan, a beth am yr holl Farinas sy'n prysur ddatblygu ar hyd ein harfordiroedd? Mae'r rhain fel petaent wedi'u creu at wasanaeth smyglwyr.

Sut felly y mae gobaith i Wasanaeth y Tollau ddal i fyny heb sôn am fod ar y blaen i'r smyglwyr? Hyblygrwydd, cyflymder, meistrolaeth o dechnoleg fodern, gan gynnwys lloerennau, yn sicr ond yr un mor bwysig yw gwybodaeth a gallu dibynnu ar gyweithrediad y cyhoedd. Doedd y cydweithrediad hwnnw ddim ar gael yn oes aur gynta'r smyglwyr oherwydd bod y tollau eu hunain yn orthrymol – ac ni lwydda unrhyw gyfraith oni chaiff ei derbyn gan y bobl.

Erbyn heddiw derbynia'r awdurdodau lawer gwell cydweithrediad i atal smyglo oherwydd bod mwyafrif yr hyn a smyglir i'r wlad yn annerbyniol, fel hefyd y mae'r gangiau, a'u dulliau, sydd tu cefn i'r fasnach anghyfreithlon. Gallasai'r gwasanaeth tollau wneud llawer mwy i godi ymwybyddiaeth o'r broblem yn lleol ac i ofyn am gymorth y cyhoedd yn y frwydr yn hytrach na gweithio o bell. Yn y ddeunawfed ganrif, estroniaid oedd llawer o'r swyddogion tollau heb fawr o gysylltiad, na chydymdeimlad, lleol – a olygai mai piso yn erbyn y gwynt yr oeddent. Onid oes yna wers yn fan'na yn rhywle?

# Ffynonellau

*Smuggling, A History 1700-1970*, D Phillipson, (1973)

*Working the Welsh Coast*, Mike Smylie, (2005)

*Contraband Cargoes*, Neville Williams, (1959)

*The Compleat Smuggler*, J. Jeferson Farjeon, (1938)

*Smuggling in Cornwall*, Frank Graham, (1964)

*Smugglers*, Charles G Harper, (1966)

*Honest Thieves, the Story of the Smugglers*, Patrick Pringle, (1938)

*Smuggling in Cornwall and Devon*, Lisa Newcombe, (1989)

*Smugglers of the Isle of Wight*, Richard J Hutchings, (1990)

*Welsh Smugglers*, K.C. Watkins, (1975)

*Scottish Smugglers*, Jean Simmons, (1975)

*Tales of the Cornish Smugglers*, John Vivian

*The Smuggling Coast*, John A Thompson, (1989)

*Cofiant Lewis Morris 1700/1-42*, Y Parchedig Dafydd Wyn Wiliam, (1997)

*Cofiant William Morris (1705-63)*, Y Parchedig Dafydd Wyn Wiliam (1995)

William Morris – Swyddog Tollau, Dafydd Wyn Wiliam, *Traf. Cymd. Hynafiaethwyr a Naturiaethwyr Môn* (1992), tud 63-93

*Smuggling on the Exmoor Coast 1680-1850*, (2001) John Travis,

*Smuggling in Rye and District*, Kenneth M Clark (1977)

Illicit Trading in Wales in the Eighteenth Century, G.I. Hawkes, *Maritime Wales*, 10, (1986) tud. 89-107

Legal and Illegal Shipping 1660-1786, Aled Eames, *Ships and Seamen of Anglesey* (1981) tud. 99-132

Smyglo a Helynt y Tollau, David Thomas, *Hen Longau Sir Gaernarfon* (1952) tud. 68-83
*The Smugglers*, Timothy Green (1969)

**Gwefannau**

Ceir llawer o ddefnyddiau o fewnbynnu 'smugglers' i Gwgl, ee:
www.wikipedia.com (o dan 'smugglers')
www.rhiw.com
www.smugglers.com

Llyfrau Llafar Gwlad

63

**Wedi'r Llanw**
*Ysgrifau ar Ben Llŷn*
Gwilym Jones

**£5.50**